Mon Histoire

Portrait en couverture : Henri Galeron

Titre original : *Marie Antoinette - Princess of Versailles*
Édition originale publiée par Scholastic Inc., New York, 2000

Kathryn Lasky

Marie-Antoinette

Princesse autrichienne à Versailles 1769-1771

Traduit de l'anglais
par Lilas Nord

Gallimard Jeunesse

Palais de la Hofburg, Vienne, Autriche
1er janvier 1769

Je jure solennellement d'écrire dans ce journal que m'a donné mon précepteur, l'abbé de Vermond, sinon tous les jours, du moins toutes les semaines, même si cela doit me demander des efforts. Il faut dire que je ne forme pas très bien mes lettres et que je ne suis pas douée pour l'orthographe. Quoi qu'il en soit, c'est la résolution que j'ai prise en cette nouvelle année.

Bien à vous,

Archiduchesse Maria Antonia Josepha Johanna, fille de Marie-Thérèse de Habsbourg, impératrice du Saint Empire romain des nations germaniques, et de feu l'empereur François de Lorraine.

3 janvier 1769

Je tiens ma promesse. L'abbé de Vermond serait fier de son élève ! De plus, je crois que j'ai écrit le mot « solennellement » sans faire de faute. Je suis reconnaissante à l'abbé de m'avoir donné ce magnifique petit carnet. Il est bleu, couleur du ciel, et incrusté de fleurs de lys dorées — c'est le symbole de la royauté française, ou l'un de ses nombreux symboles. Il faut que je les retienne tous. Il faut que j'apprenne le français ! D'ailleurs, je vais faire la liste de tout ce que je dois apprendre cette année :

Écrire et lire le français (je le parle bien, car c'est la langue de la cour).

– Le jeu.

– Danser à la façon des Français.

– Marcher comme à la cour de France — les dames françaises, dans leurs immenses robes à panier, semblent flotter au-dessus du sol.

– Lire des ouvrages sérieux ou instructifs.

– Améliorer mon écriture.

Pourquoi dois-je savoir faire tout cela mieux que les autres filles de mon âge, mieux que n'importe lequel de mes quinze frères et sœurs ? Pourquoi ? Parce que je vais devenir reine de France. Je donnerai des détails plus tard. J'ai la tête et la main trop fatiguées pour les explications.

4 janvier 1769

Me voilà maintenant reposée et prête à commencer mon récit. J'ai tout juste treize ans et, avant de devenir reine, je serai dauphine de France. C'est le mot que les Français utilisent pour désigner la princesse de plus haut rang. La dauphine est la femme du dauphin, fils aîné du roi. Le roi de France est Louis XV. Son fils est mort, c'est donc le plus âgé de ses petits-fils qui est maintenant dauphin. Il s'appelle Louis-Auguste. Je vais l'épouser, l'année prochaine sans doute. Et quand Louis XV sera mort, le dauphin deviendra le roi Louis XVI, et moi, la reine Marie-Antoinette ! Ensemble, nous régnerons. Mais, pour l'instant, je suis archiduchesse. J'ai treize ans et tout le monde m'appelle Antonia. Je ne suis pas encore prête pour devenir dauphine, et reine, encore moins. Tout le monde me le répète au moins quinze fois par jour !

Voici une liste de ceux qui me le disent :

– Maman, l'impératrice.
– La comtesse Lerchenfeld, ma grande maîtresse, ou gouvernante. Je l'appelle Lulu, c'est plus court.
– Noverre, mon maître de danse.
– M. Larseneur, le coiffeur français.
– L'abbé de Vermond, le précepteur français.
– Mes frères et sœurs — presque tous !

Je ne serai pas prête tant que j'aurai du mal à écrire ou à lire dans ma propre langue — alors en français, vous imaginez ! Même si je lis mieux que je n'écris, je déteste la lecture. Pourtant, je ne suis pas stupide. Je crois que certains en sont persuadés, mais l'abbé de Vermond a expliqué à maman que j'étais « intelligente, capable d'apprendre, enjouée et pleine de bonne volonté »... il dit aussi que je suis un peu paresseuse. Il m'a donné ce journal pour que je puisse y exprimer mes pensées les plus intimes. Il pense qu'ainsi j'aurai davantage envie d'écrire et que j'améliorerai mon écriture et mon orthographe, qui sont calamiteuses. Il m'a promis qu'il ne le lirait jamais et — encore mieux ! — qu'il ne dirait même pas à maman que je tenais un journal. C'est important car maman est très curieuse. Extrêmement curieuse. J'ai écrit le mot « extrêmement » comme il faut. L'abbé serait très content, mais il ne le saura jamais, s'il tient sa promesse. Et moi je tiendrai celle que je lui ai faite de continuer à écrire. C'est vrai que cela devient plus facile chaque jour. Je crois que, bientôt, j'oserai coucher sur le papier mes pensées intimes. Je vais faire une liste des sujets à aborder la prochaine fois, pour ne pas oublier d'ici là :

– Maman, la curieuse.
– Caroline, ma sœur préférée.
– Ma grosse belle-sœur qui est morte.
– Ma nièce préférée.

5 janvier 1769

Finalement, c'est amusant d'écrire. Et l'abbé de Vermond a dit que je faisais des progrès. Déjà ! Et cela ne fait que cinq jours !

Revenons à ma liste.

1) Maman, la curieuse : J'aime vraiment beaucoup l'impératrice, mais nous ne nous ressemblons guère. Elle n'est pas aussi paresseuse que moi et ne perd jamais une minute. Lorsqu'elle m'a mise au monde, par exemple, elle a fait appeler un dentiste en même temps que la sage-femme, pour se faire arracher une vieille dent pourrie. Tant qu'à souffrir, elle trouvait plus pratique de ne souffrir qu'une fois ! Elle est très ordonnée. Tout est toujours à sa place. Moi, je ne cesse d'égarer mon mouchoir, et j'ai perdu mon éventail, le beau, celui qui appartenait à Brandy, ma vieille gouvernante que Lulu a remplacée. Maman n'oublie ou n'égare jamais rien. Mais elle veut tout savoir de ce que je fais, de ce que j'apprends. Elle m'épie quand je suis à ma toilette, car elle a peur que ma poitrine reste trop plate ! Je me souviens que pour Caroline, ma sœur, c'était le contraire. « Une forte poitrine vieillit une jeune fille. » C'est l'un des proverbes de maman. Elle emploie beaucoup de proverbes, y compris la devise familiale, qu'elle récite sans arrêt. « D'autres font la guerre, mais toi, ô bienheureuse Autriche, tu fais des mariages. » Ces mots sont écrits en latin sur de nombreux blasons et

emblèmes dans le palais. Mais cela ne suffit pas à ma mère. Elle les répète du matin au soir — en latin, en français, en allemand et en italien.

L'objectif de maman, c'est de nous marier, nous, ses enfants, à des rois ou des reines, des princes ou des princesses, des ducs ou des duchesses. C'est ainsi que l'empire s'agrandit, gagne de nouvelles terres et de nouveaux amis ou alliés pour l'aider en temps de guerre. Les mariages garantissent la paix. C'est une très bonne affaire, selon maman.

Je pense que c'est pour cela qu'elle est aussi curieuse. Pour arranger des mariages, il faut toujours qu'elle fourre son nez dans nos affaires. Pour l'instant, elle s'est bien débrouillée. Ma sœur Maria Christina a épousé Albert de Saxe, qui est aujourd'hui gouverneur des Pays-Bas autrichiens, que l'on appelle la Hongrie. Maria Amalia a épousé le duc de Parme et c'est comme cela qu'elle est devenue duchesse en Italie. Mon frère Joseph a épousé la grosse Josepha de Bavière, et ma sœur préférée, Caroline, a épousé Ferdinand, roi de Naples.

Maman serait encore plus indiscrète avec nous, ses enfants, si elle en avait le temps mais, comme elle est impératrice, elle a beaucoup de travail. Il m'arrive de ne pas la voir pendant deux semaines. Si l'on me demandait quel est mon premier souvenir de ma mère, je dirais que c'est le jour où Brandy m'a conduite à ses appartements dans le palais d'été de Schönbrunn. Maman a levé le nez de sa table de travail et, à travers une grosse loupe qui lui servait à étudier ses papiers et qu'elle tenait encore à la main, elle s'est mise à me scruter à mon tour, comme si j'étais la lettre d'un ambassadeur !

Je n'avais pas l'intention d'écrire autant. Je suis fatiguée. Il faut que je laisse ma main se reposer. Je vais chercher mon frère Ferdinand pour aller jouer au volant.

9 janvier 1769

Je reprends la liste de mes pensées intimes. En deuxième position, il y a Caroline. Il y a ou il y avait ? Elle n'est pas morte, mais cela fait presque un an que je ne l'ai pas vue. Maman a insisté pour qu'elle épouse Ferdinand de Naples. En fait, c'était ma sœur Josepha, plus âgée, qui devait l'épouser, mais elle est morte — de la petite vérole. Alors maman a insisté pour que Caroline « intervienne », comme elle disait. J'aimais profondément Caroline. Elle a trois ans de plus que moi, mais nous étions très proches. Nous étions aussi proches que... attendez que je réfléchisse... que les abeilles et le miel, ou les roses et les épines.

les oisillons dans leur nid
les feuilles et la branche
l'écorce et l'arbre

Vous trouverez peut-être que ce que je vais dire est méchant, mais Caroline serait la première à être d'accord avec moi. Vous comprenez, on me trouve très jolie avec mes yeux bleus, mes cheveux blond cendré et mon teint diaphane. Ma sœur, au contraire, est plutôt trapue et rougeaude : peu attrayante en apparence, mais belle et charmante en réalité. Peu importe, chaque rose doit avoir ses épines — c'est elle-même qui me l'a dit — et Caroline a été, pour moi, ces épines-là. Coléreuse et indépendante, elle m'a toujours protégée, exactement comme dans un jardin les épines protègent la rose de ceux qui voudraient la cueillir. Elle a fait un scandale quand on lui a ordonné d'épouser le roi de Naples. Maman a dit qu'un tel éclat était insensé et grossier. Moi, je m'en moquais bien : j'aimais Caroline de tout mon cœur. Elle m'écrit, mais je ne la retrouve pas dans ses lettres, tant elle semble triste et abattue. Avant son mariage, elle m'a autant appris que n'importe laquelle de mes gouvernantes, et peut-être encore plus que l'abbé de Vermond.

J'aime aussi beaucoup ma sœur Elisabeth, mais la pauvre ne sort presque jamais de ses appartements. Il faut dire qu'elle a été d'une grande beauté, beaucoup plus belle que moi, vraiment charmante et pleine d'esprit, mais elle a été frappée elle aussi par la petite vérole. Sa peau a été grêlée par la maladie. Elisabeth a douze ans de plus que moi et elle était promise au duc de Bavière mais, bien sûr, il n'a plus été question de mariage après cela. Maintenant, elle se cloître chez elle, cachée derrière des voiles épais. Il n'y a qu'à Schönbrunn, pendant l'été, qu'elle se sent libre de porter des voiles plus fins.

Passons au troisième personnage de ma liste : Josepha, ma belle-sœur. Personne ne l'aimait, pas même mon frère, car maman l'avait forcé à conclure ce mariage. Josepha était malheureuse, bizarre, laide, égoïste et pleurnicharde. Elle a attrapé la petite vérole et elle est morte.

Personne ne l'a vraiment regrettée, mais maman a pensé qu'il était de bon ton de faire semblant. Pour obéir aux convenances ! Elle a insisté pour que ma sœur aînée, qui s'appelait aussi Josepha, se rende sur sa tombe. Le corps était encore chaud dans le cercueil et la terrible petite vérole devait encore circuler dans l'air car, dès le lendemain, notre sœur chérie est tombée malade et elle est morte trois jours plus tard.

Josepha devait épouser Ferdinand de Naples. Maman a donc insisté pour que Caroline prenne sa place. Et c'est ainsi que j'ai perdu deux sœurs, à cause de la mort de cette triste Josepha et, oui, à cause des principes de maman sur le devoir et les convenances. Que Dieu me pardonne ces mots, mais c'est ce que je pense et je ne peux m'en empêcher. Est-ce que c'est encore pire de l'écrire ? Souvenez-vous, mon Dieu, que je tiens ce journal pour devenir une personne plus instruite et pour réaliser le vœu de maman de me voir accéder au trône de France.

Tout cela me rend triste... je ne veux plus en parler. Dehors, la neige tombe dru et on nous a promis une promenade en traîneau.

11 janvier 1769

Promenade en traîneau. Ma chère petite nièce, Theresa, ou Titi, comme je l'appelle, nous accompagne car son rhume est guéri. Elle a sept ans tout juste. Nous étions, elle et moi, sur le même traîneau. Elle se met debout contre moi et nous dévalons la pente à toute vitesse. Au palais de Schönbrunn, à la campagne, les pentes sont meilleures. Ici, à Vienne, c'est trop plat. Mais quand le chef de la garde impériale nous le permet, Hans nous emmène de l'autre côté du Danube, là où les forêts de Vienne descendent jusqu'au fleuve. Après, nous allons au Hermannskögel qui est le point le plus haut de Vienne. J'espère que nous y retournerons demain !

13 janvier 1769

Pas le temps d'écrire. Neige toute fraîche et permission d'aller au Hermannskögel. Titi et moi sommes surexcitées !

14 janvier 1769

Plus de traîneau. Maman était furieuse quand nous sommes rentrés la dernière fois. D'abord, j'étais en retard pour ma leçon de musique avec maître Gluck. Je venais à peine de commencer mes gammes quand elle est entrée, dans l'intention de me gronder sévèrement pour mon manque d'exactitude. L'impératrice prend notre éducation musicale très au sérieux et prétend que nous vivons au cœur de la plus belle musique du monde. Car chacun sait que c'est à Vienne que tous les meilleurs musiciens vivent, étudient et travaillent. Elle va jusqu'à dire que, dès que l'on quitte la ville, la musique est moins bonne, et que cela empire à mesure que l'on s'éloigne de Vienne. Elle frémit à l'idée de ce que doit être la musique en France et, pour l'Angleterre, elle ne veut même pas y penser !

Quand elle est entrée dans la pièce, elle a ôté mes mains de la harpe. Ma peau était rougie par le froid, et elle s'est exclamée :

– Ma fille ! Ces mains ne sont pas les mains d'une

archiduchesse ! À ce train-là, jamais, au grand jamais, elles ne seront celles d'une reine de France. On dirait les mains d'une récureuse de vaisselle !

Elle m'a ensuite ordonné de dormir avec des gants en peau de poule. Je hais ces gants plus que tout au monde ! Même Lulu a eu l'air chagriné par cette recommandation. Ils sont très désagréables à porter, sans parler de l'odeur... Mais c'est vrai qu'ils blanchissent et adoucissent les mains. Maman s'était tellement inquiétée du teint rougeaud de Caroline qu'elle avait fait spécialement faire pour elle un masque en peau de poule. Mais Caroline l'enlevait dès que sa gouvernante avait le dos tourné et, le lendemain matin, elle se poudrait juste un peu plus le visage. J'aimerais bien avoir le cran de ma sœur pour m'opposer à maman. Sauf que... Est-ce que cela a permis à Caroline de faire ce qu'elle voulait ? Elle a quand même dû épouser ce vieil homme laid de Naples.

19 janvier 1769

Jours très ennuyeux, sans traîneau. Aujourd'hui, M. Larseneur est venu me coiffer. On dit que mon front est trop haut et que la ligne de mes cheveux commence trop loin. C'est parce que Brandy, mon ancienne gouvernante, avait l'habitude de me brosser et de m'attacher les cheveux en arrière avant de me coucher. À force, ils se sont étirés et cassés. M. Larseneur est un « friseur » parisien fort à la mode : c'est ainsi que l'on appelle les coiffeurs en France. Il s'occupe de nombreuses dames à la cour de Versailles. Il est très sympathique et nous avons des conversations agréables. Avec lui, j'apprends comment s'écrivent beaucoup de mots français sur les cheveux. En voici une liste :

cheveux
peigner
se coiffer
se friser
épingle à cheveux

Vous voyez, j'apprends le français ! Mais je m'ennuie... Je voudrais faire du traîneau avec mon chien Schnitzel ou ma chère Titi.

20 janvier 1769

Oh, j'en ai tellement assez des coiffures, des leçons et de la danse ! Mais Lulu m'a expliqué que l'on doit faire de moi une jeune femme presque parfaite pour très bientôt : un peintre français va faire mon portrait, ainsi qu'une miniature qui sera envoyée au roi Louis et au dauphin ! Maman pense que, s'ils voient à quel point je suis jolie, les fiançailles officielles devraient se conclure plus rapidement. Vous comprenez, même si tout cela est prévu depuis que j'ai neuf ans, rien n'est encore officiel : aucune date n'a été fixée, et tout dépend du roi de France. Je me demande à quoi peut bien ressembler le dauphin. Peut-être que lui aussi, on essaie de le préparer pour faire son portrait. Il est certainement très beau : il paraît que son grand-père est le plus beau de tous les monarques qui règnent en Europe. J'ai entendu dire que le roi de Prusse Frédéric le Grand est bien de sa personne, mais nul n'oserait même chuchoter ce nom en présence de maman. Frédéric est son pire ennemi. C'est à cause de lui que nous sommes obligés de si bien nous marier. Il y a une vingtaine d'années, peu après que maman est devenue impératrice, Frédéric a envahi la Silésie, une de nos provinces héréditaires — et la plus riche. Maman ne s'est jamais remise de la perte de la Silésie et elle a juré qu'elle ne sacrifierait plus un seul centimètre carré au Monstre (c'est ainsi qu'elle surnomme le roi Frédéric). Elle a juré de récupérer la Silésie, et nous, ses filles et ses fils, faisons partie de son plan. Nous préparons le siège non avec des armes, mais avec des mariages !

Je dois donc apprendre à danser. Mes cheveux doivent recommencer à pousser. Je dois faire des progrès en lecture, en écriture et mieux jouer aux cartes. Jouer aux cartes et parier font partie, paraît-il, des passe-temps préférés de la cour de Versailles. Tout cela est bien difficile. J'imagine que marcher au pas et se faire tirer dessus, c'est pire... mais pas si ennuyeux !

23 janvier 1769

Essayez de vous représenter la scène : pendant que je m'entraîne à marcher avec un livre en équilibre sur la tête, la taille prise dans les plus gigantesques paniers que j'aie jamais vus, et dont on me dit qu'ils sont très à la mode à Versailles, l'abbé de Vermond me lit à voix haute l'histoire de France. Bien sûr, c'est encore une idée de maman.

– Elle peut bien écouter pendant qu'elle marche. Elle a des oreilles, en plus de ses pieds.

Merci, maman. Il faut maîtriser une démarche particulière aux dames de Versailles et avancer à pas très petits et rapides, pour faire flotter sa robe au-dessus des sols de marbre poli.

30 janvier 1769

Lulu m'a dit que maman était très inquiète. Le roi Louis n'a pas encore envoyé de lettre officielle en ce qui concerne mon mariage. Apparemment, il était censé le faire ce mois-ci. Je m'inquiète aussi quand maman est dans cet état, car elle veut toujours que celui de ses enfants dont le sort la préoccupe le plus l'accompagne pour prier au caveau de papa, à l'église des Capucins.

1er février 1769

Devinez où je suis allée aujourd'hui ? À l'église des Capucins avec maman. Cela me rend folle ! J'avais neuf ans quand papa nous a quittés et, depuis, maman a rarement porté autre chose que du noir. À la mort de son époux, elle s'est coupé les cheveux et a fait badigeonner ses appartements en noir. Aujourd'hui, ses cheveux ont repoussé et ses appartements sont peints en gris, mais le cercueil qu'elle avait commandé pour elle à l'époque est toujours là, à l'attendre, dans le caveau de la chapelle. Et maman s'y rend tous les après-midi, s'assied là, à côté des deux cercueils, celui qui contient les ossements de papa et l'autre, vide, et elle prie. Aujourd'hui, elle m'a emmenée avec elle pour que je prie aussi : pour mon mariage, pour la Silésie, pour que la Fortune nous favorise, nous, et non le Monstre !

4 février 1769

Je crois que je n'arriverai jamais à danser aussi bien que Lulu. Aujourd'hui, pendant ma leçon — danse de salon —, maître Noverre a demandé à ma gouvernante de se joindre à lui pour me montrer un pas nouveau, en usage à la cour. Lulu est si gracieuse ! On dirait presque qu'elle flotte. Ses cheveux ont de beaux reflets roux et, quand elle danse, ses joues rougissent et ses yeux gris pétillent. J'ai bien vu qu'elle a complètement fasciné Noverre, et que le violoniste, qui ne faisait jusque-là que gratter ses mélodies pour suivre mes pieds maladroits, s'est soudain mis à jouer avec une nouvelle énergie.

P.S. Oublié de signaler que maman a reçu une lettre de la cour de France : un dentiste va venir examiner mes dents. Maman trouve que c'est très bon signe. Cela veut dire que je les intéresse encore.

Son ravissement n'a pas connu de bornes quand l'abbé de Vermond lui a appris que je faisais des progrès remarquables en lecture et en écriture !

5 février 1769

Ce soir, nous allons au théâtre. Même si j'adore l'opéra, je me sens un peu nerveuse. Il y a près de deux ans, il m'est arrivé là-bas l'aventure la plus embarrassante de ma vie, et je ne suis pas près de l'oublier ! J'en rougis encore, rien que d'y penser ! Josepha, Caroline, Ferdinand et moi étions tous assis dans la loge impériale, quand maman s'est ruée à l'intérieur, dans un état d'agitation inimaginable : au beau milieu de la représentation, pendant le grand air du soprano, elle a crié au public : « Mon Leopold a eu un garçon ! » Notre frère Léopold est le grand-duc de Toscane. Son premier fils, appelé François d'après mon père, venait de naître, et l'impératrice était tellement surexcitée qu'elle n'a pas hésité à interrompre la représentation. J'ai presque disparu sous mon siège. Je suis devenue aussi rouge que les coussins de velours de la loge. Je n'arrive toujours pas à y penser sans un frisson d'horreur. Jamais dans tout l'empire une fille qui n'a eu aussi honte de sa mère. Mais au moins, ce soir, pas de nouveau-né à l'horizon...

6 février 1769

L'opéra était merveilleux, même si Lulu a estimé que le ténor devait souffrir d'un rhume de cerveau. Elle a l'oreille pour ces choses-là... Je me suis sentie mal à l'aise pendant toute la soirée – non, non, aucune naissance n'a été annoncée ! – mais on m'a placée au premier rang de la loge impériale. Normalement, il est réservé à l'impératrice, à mon frère aîné, Joseph, et à sa femme — sauf que maintenant, bien sûr, elle est morte. Mais cette fois, j'étais assise là, et je pouvais sentir le regard des gens sur moi. Maman m'avait prêté son collier de diamants avec le pendentif de saphir en étoile, et on avait serré mon corsage presque jusqu'à m'étouffer. Pendant le premier acte, avant que mes lacets se détendent, je pouvais à peine respirer. Maintenant, je sais pourquoi. Lulu me l'a expliqué. On a voulu me présenter comme la future reine de France au public — surtout à l'importante délégation française, et en particulier au duc de Choiseul, l'ambassadeur français, qui était assis à côté du prince Kaunitz, notre diplomate le plus important. Tous deux ont rédigé le traité de Versailles en 1756, et ce sont eux qui ont eu l'idée de me faire épouser le dauphin, avant même que maman y ait songé, je crois. La connaissant, cela paraît presque impossible ! Quoi qu'il en soit, ils doivent régler le contrat de mariage et s'occuper de tous les détails. Et c'est pour cela que l'on m'a exhibée ainsi.

8 février 1769

Si j'ai eu l'impression, à l'opéra, d'être montrée comme un animal de foire, ce n'était rien par rapport au bal de ce soir ! J'ai dû passer quatre heures avec M. Larseneur. Il a absolument tenu à me coiffer à la dernière mode de la cour de France. Vous vous demandez peut-être comment cela a bien pu prendre quatre heures ! Eh bien, voici ce que lui et ses assistants ont fait à mes cheveux. D'abord, ils en ont divisé la plus grande partie en petites mèches fines qu'ils ont entortillées fermement et épinglées à ma tête : j'avais l'impression qu'une bonne centaine d'escargots s'étaient donné le mot pour s'installer sur mon crâne ! Ensuite, ils ont épinglé des touffes de crin de cheval sur ces escargots. À ces touffes, ils ont attaché de fausses tresses. Puis ils ont fixé, avec une tonne de pommade à l'odeur épicée, le reste de mes cheveux, les ont poudrés, pour finalement les relever très haut. Si haut que cela dépasse l'imagination ! Dans cette structure, M. Larseneur a fixé des roses de soie et de petits oiseaux, des jouets, mais avec de vraies plumes. J'en ai mis un dans ma poche pour le donner à Titi : je sais qu'elle va l'adorer. Et tout cela a duré quatre heures !

La robe que je portais était magnifique, taillée dans un satin bleu-violet, avec des manches bouffantes de dentelle française qu'on appelle « engageantes » et qui s'agitent au moindre mouvement. Mais voici le plus étrange. Sous les volants de la jupe, une demi-douzaine ou plus de petits flacons en forme de larmes étaient attachés aux cerceaux et, au fond de chacun de ces flacons, il y avait une goutte de miel. Même maman a manifesté sa surprise.

– Qu'est-ce que c'est ? a-t-elle demandé.

– Ah, madame Impératrice, a répondu la couturière française, c'est pour les puces.

– Quoi ? s'est exclamée ma mère. Ma fille n'est pas un chien ! Elle n'a pas de puces !

– Ah, non, madame Impératrice ! Ce n'est pas votre fille qui attire les puces, c'est la pommade dans ses cheveux et la colle de farine de blé...

– Peu pratique, a critiqué maman avant de s'éloigner.

Mais, pratiques ou pas, si toutes ces tortures sont nécessaires pour conclure mon mariage avec un homme qui va devenir roi de France, elle les approuvera !

9 février 1769

Je vais vous dire, moi, ce qui n'est pas pratique ! C'est de devoir dormir avec la tête sur un billot de bois ! Oui, voilà ce que j'ai dû endurer pour préserver cette coiffure extravagante. Il y a encore un autre bal ce soir et on va m'exhiber de nouveau. Mes cheveux seront peut-être parfaits, mais j'aurai les yeux rouges.

10 février 1769

Ce qu'il y avait de plus agréable au bal hier soir, c'était de regarder Lulu danser. Pour la dernière danse, avec maître Noverre, elle s'est lancée dans une danse écossaise. Tout le monde a adoré et maman a insisté pour qu'ils recommencent.

11 février 1769

Aujourd'hui, pendant mon cours, j'ai félicité maître Noverre sur sa façon de danser ; je lui ai dit que j'espérais parvenir à maîtriser assez bien la danse écossaise pour l'apprendre à mon futur époux. Le visage de mon professeur s'est assombri. Il semblait très préoccupé.

– Non ! Non, Votre Altesse. La danse écossaise n'est pas autorisée à la cour de Versailles.

J'étais stupéfaite et lui en ai demandé la raison. Il m'a répondu que la cour avait ses règles, son étiquette, et que cette danse était considérée comme trop sauvage. Je n'ai jamais rien entendu d'aussi ridicule de toute ma vie ! Danser est amusant !

Certaines de ces stupides danses de cour sont si lentes et si ennuyeuses que j'en arrive presque à dormir debout !

12 février 1769

Je crois que mes jours de liberté sont comptés. Ce projet de mariage me tourmente. C'est difficile à expliquer. Ce n'est pas que je ne veux pas me marier. J'ai envie de rencontrer le dauphin et je suis sûre que je vais l'aimer, mais il y a autre chose. Je crois que la cour de Versailles est très différente de notre cour impériale de Vienne. Versailles est un endroit très compliqué où se pratiquent des jeux difficiles. C'est pour cela qu'il me faut apprendre à parier. Mais ce n'est pas tout. Lulu m'a expliqué que seules quelques personnes triées sur le volet ont le droit de servir le vin de la famille royale à table et, pour s'habiller, c'est la même chose. Ici, je n'ai que Liesel ou Brunhilda pour m'aider à enfiler mes jupons. Lulu surveille parfois le laçage de mon corset mais, en France, à la cour de Versailles, il est hors de question qu'une simple femme de chambre touche les dessous de la dauphine ou de la reine. Non, c'est la « dame d'honneur » — seule une dame de haute naissance est autorisée à lui enfiler jupons et camisole, ainsi que le linge de corps, comme ils disent là-bas. Caroline et moi appelions ces vêtements des « sous-times ». C'est nous qui avons inventé le mot. Enfin, c'est Caroline. Elle a tellement d'imagination !

Ma gouvernante m'a précisé que si la dame d'honneur apporte son aide pour le linge de corps, c'est la dame d'atours, une sorte de femme de chambre, qui emporte le linge sale, une fois que la reine ou la dauphine l'a porté. Pour aider la dame d'atours, il y a la seconde dame d'atours, dont la tâche est encore différente. C'est une grave erreur, paraît-il, que de demander à la mauvaise personne de prendre le mauvais vêtement au mauvais moment. Comment vais-je réussir à me souvenir de tout cela ? Lulu m'a proposé de me faire un tableau, pour que je sache qui fait quoi. Mais comment retenir autant de règles en ce moment, alors que je dois apprendre ce stupide temps du plus-que-parfait en français — je ne pense même pas qu'il existe en allemand ou, s'il existe, je n'en ai jamais entendu parler. Trop, c'est trop !

14 février 1769

Maman a été ravie de l'impression que j'ai faite au bal. Et cette nuit, j'ai pu dormir la tête sur un oreiller, et non sur un billot ! Lulu et Liesel ont peiné pendant des heures pour enlever la pommade et la poudre de mes cheveux. Est-ce que j'ai précisé que j'ai porté le collier de diamants appelé Rubis de l'Inde ? On a voulu me teindre les cheveux en rose, pour mieux mettre en valeur ce joyau, mais j'ai refusé. J'ai expliqué que seul le bleu, bleu ciel pour aller avec ma robe, ferait vraiment ressortir le rubis. Maman m'a félicitée de cette décision et de mes progrès en français. Mais elle parle tellement mieux français que moi ! Parfois, je me dis que ce serait plus simple si elle épousait le roi Louis XV, puisqu'elle est déjà impératrice et lui roi. J'imagine bien qu'il y aurait un problème pour savoir dans quel pays et dans quel palais ils iraient habiter. Mais elle est si habile... Et puis, elle adore parler français, surtout quand il s'agit de traiter le roi Frédéric de Prusse de monstre. Si vous pouviez voir comment elle insiste sur ce mot quand elle parle au duc de Choiseul, ou à d'autres personnes de la cour de France ! « Le Monnnnnnstre ! » Elle traîne tellement sur la première syllabe que son visage s'allonge et que ses yeux lui sortent presque de la tête.

18 février 1769

J'ai fait part à Lulu, pour rire – ou du moins c'est ce que je croyais – de mon idée de marier maman au roi Louis XV, mais elle m'a lancé un regard très sévère. J'ai demandé :

– Où est le mal ? Il est veuf. Maman est veuve. Pourquoi pas ?

Elle a fait la moue.

– Parlez ! lui ai-je ordonné.

Alors elle m'a révélé que le roi avait une amie très proche, une « maîtresse » qui s'appelle Mme du Barry, et que cela tourne au scandale, car il se pourrait qu'elle soit présentée à la cour. Alors, doucement, j'ai dit :

– Oh...

Et Lulu a ajouté :

– Elle est très grossière. Très vulgaire.

J'ai pensé : « C'est terrible ! » Puis Lulu a marmonné :

– Elle sort du ruisseau.

J'ai failli suffoquer. Non, pas failli. J'ai suffoqué.

Je suis complètement perdue. Comment peut-il exister une cour où un souverain a des amies « qui sortent du ruisseau » et où il y a en même temps autant de règles de bienséance et d'étiquette pour définir qui a le droit de servir le vin au roi et qui peut donner sa chemise à la reine ? Je crois que je ne m'y retrouverai jamais !

27 février 1769

Je sais que cela fait toute une semaine que je n'ai pas écrit, mais j'étais très en colère. Depuis près d'un an, depuis que Caroline est partie pour épouser le roi de Naples, je me demande pourquoi ses lettres sont si rares et pourquoi elles ressemblent si peu à la Caroline que j'ai connue. Eh bien, aujourd'hui, je sais pourquoi. Pendant tout ce temps, la réponse était là, juste sous mon nez. Dans mon armoire, il y a un coffre où sont rangés toutes mes vieilles poupées et leurs habits. Il y avait longtemps que je n'avais pas joué avec mais, quand Titi est venue me voir dans mes appartements, la semaine dernière, je me suis dit que ce serait amusant de les ressortir, que nous pourrions les habiller et peut-être même leur mettre de la pommade et de la poudre pour les coiffer à la dernière mode parisienne. Ma sœur et moi passions des heures entières à jouer avec les poupées de ce coffre, et elle devait se douter que, un jour ou l'autre, je finirais par l'ouvrir. Et qu'est-ce que j'ai trouvé, glissée sous la chemise de notre poupée préférée ? Une lettre, non de Caroline, mais de la main de maman. Et voici le contenu de cette lettre, car je vais la recopier dans ce journal. Elle a été écrite le 19 août 1767, juste après que ma mère eut ordonné à Caroline d'épouser Ferdinand de Naples : je me souviens que ma sœur s'était enfuie dans les couloirs en hurlant et que moi je m'étais précipitée vers maman pour la supplier de renvoyer Ferdinand...

Chère Caroline,

Il est temps que vous grandissiez. Je ne saurais supporter les crises et les scènes de votre petite sœur Antonia au sujet de ce mariage. Je vous préviens que vous serez complètement séparée d'elle, car je vois bien qu'elle passe son temps à vous dissuader de contracter cette union et à vous raconter toutes sortes d'horreurs sur le compte de Ferdinand. Peu importe qu'un homme soit gros ou maigre, beau ou laid. Il fera un bon mari pour vous. Il a des terres et apporte à notre empire davantage de puissance pour lutter contre le monstre Frédéric. La petite Antonia, par sa conduite irresponsable, vous fait non seulement du tort à vous, mais aussi à moi et à l'empire. Je vous interdis de ce fait tout échange secret avec elle. Vous serez attentivement surveillées, ne vous avisez donc pas d'enfreindre mes ordres en tentant de communiquer avec votre sotte petite sœur ou en cherchant consolation auprès d'elle. Vous devez remplir votre devoir envers moi et envers l'empire, et vous le ferez en épousant Ferdinand, roi de Naples. Souvenez-vous, il est plus important de devenir reine que de rester une sœur aînée et une vieille fille inutile.

Sincèrement, votre mère, Maria Theresa, impératrice du Saint Empire romain.

C'est pour cela que les lettres de Caroline, qui sont bien rares, lui ressemblent si peu ! Nous sommes toutes deux espionnées, Caroline à Naples et moi, ici, à Vienne. J'en veux tellement à maman que j'espère ne pas la voir avant au moins une bonne semaine. Je ne sais même pas comment j'arriverai à cacher ma colère. Je me rends compte à présent qu'il n'y a vraisemblablement plus personne à qui je puisse faire confiance. Pas même à Lulu, car le sort de ma gouvernante dépend de la satisfaction qu'elle donne à l'impératrice. Bien sûr, Titi n'a pas compris ma tristesse, et je ne pouvais pas lui en expliquer les raisons. Alors j'ai dû retenir mes larmes et continuer à jouer à la poupée avec elle, comme si de rien n'était.

Titi a trouvé une babiole au fond du coffre et elle en a fait un collier pour la poupée avec laquelle elle s'amusait. Elle lui a ensuite poudré les cheveux puis les a teintés de bleu.

– Regarde, tatie. C'est toi. La plus belle dame de l'empire. C'est toi, la reine de France. « C'est magnifique ! » s'est-elle exclamée.

J'ai ri gaiement de son français, je lui ai dit à quel point elle était intelligente, et soudain, au beau milieu de mon rire, une pensée étrange m'est venue et je me suis mise à pleurer. Titi, inquiète, m'a demandé ce qui n'allait pas et je lui répétais :

– Rien, rien du tout.

Mais je pensais que c'était cela, bien sûr, que je serais obligée à l'avenir d'être magnifique car, lorsqu'on est toujours sur le devant de la scène, constamment épiée, on ne peut se permettre de paraître effacée. Il me faudra être resplendissante, que je rie ou que je pleure. Je devrai fasciner pour que personne ne voie qui je suis vraiment, être cette poupée brillante et étincelante... Oh, journal, je suis si contente de t'avoir ! Mais peut-être vais-je devoir te trouver une cachette sûre, même si je te garde fermé à clef, car il y a des espions partout...

4 mars 1769

Presque une semaine sans croiser maman. Elle a passé son temps en conciliabules avec le duc de Choiseul et l'autre ambassadeur français, le marquis de Durfort. Chaque jour où je ne rencontre pas maman est un bon jour, car cela me laisse plus de temps pour trouver la force de la revoir. Je suis encore très en colère, mais je crois que j'arrive mieux à le cacher. Et s'il y a une chose que je ne veux à aucun prix, c'est bien me mettre à pleurer devant elle.

Même quand ma mère est occupée, elle me laisse chaque jour ses instructions. Ce matin, un message m'informait qu'elle avait demandé à l'abbé de Vermond de profiter de mes leçons d'histoire pour me familiariser avec les noms des colonels et les couleurs de leurs régiments. C'est bien d'elle ! On dit qu'en 1756, lorsque le Monstre a marché sur la Saxe et que la guerre a de nouveau éclaté entre notre empire et les Prussiens, maman a personnellement vérifié une bonne partie du matériel envoyé aux soldats sur le front. Elle a insisté pour qu'un lot de couvertures soit changé : elles étaient trop légères pour tenir chaud à ses chers et braves combattants, et elle a même mis en gage beaucoup de ses bijoux pour que les soldats soient mieux équipés.

5 mars 1769

Un autre billet de maman pour me dire de consacrer plus de temps à étudier le règne de Louis XIV : il était roi de France au début de ce siècle et je suis une de ses descendantes.

6 mars 1769

Maman veut me voir aujourd'hui. Je suis très nerveuse. Je sais qu'elle va m'interroger sur Louis XIV et sur les couleurs des régiments.

7 mars 1769

Pas d'examen. Maman était de très bonne humeur. Un peintre a été envoyé de France pour faire mon portrait et le rapporter au dauphin. Ma mère ne se tient plus de joie. Elle dansait presque autour de Kaunitz, tortillant sa barbe, les yeux brillants.

– Ça vient, ça vient, mon prince, répétait-elle sans cesse. Et vous, mon petit bijou, nous devons absolument faire travailler vos cheveux par Larseneur. Ses cheveux repoussent, regardez, Kaunitz !

Et elle m'a conduite vers le prince pour qu'il examine mon front.

– Et comment se passent les leçons de danse avec Noverre ? a-t-elle demandé ensuite.

– Maman, sur le portrait, je serai immobile. Mes leçons de danse ne me seront d'aucun secours, ai-je répondu.

Tout le monde a ri de bon cœur, et maman plus que tout le monde. Elle m'a alors pincé la joue et m'a appelée son petit *Leibenkügel*, son petit gâteau en sucre. Je crois bien que c'est la première fois qu'elle se montre aussi tendre avec moi. Elle a ajouté :

– Vous voyez, gentilshommes ! (Car Kaunitz n'était pas seul, il y avait aussi l'ambassadeur de maman en France, le comte Mercy d'Argenteau.) Vous voyez, gentilshommes, cette petite a de l'esprit. Elle saura tenir tête à n'importe laquelle de ces femmes à la cour de Versailles.

Il y avait quelque chose dans la manière dont maman a dit « ces femmes » qui m'a fait frissonner des pieds à la tête. Elle semblait n'avoir aucun respect pour elles. Sont-elles si mauvaises ? Si c'est le cas, pourquoi donc m'envoie-t-elle là-bas ? J'ai voulu le lui demander, mais j'ai eu peur.

10 mars 1769

Le peintre français est arrivé aujourd'hui. Il s'appelle M. Ducreux, et c'est un spécialiste des pastels. En fait, on ne lui a pas seulement demandé de faire mon portrait, mais aussi celui d'autres membres de ma famille. Quand maman a appris cela, elle a froncé les sourcils, puis s'est mise à parler en allemand, pour que Ducreux ne comprenne pas, j'imagine ; elle avait bien saisi la ruse des Français, a-t-elle dit.

– Très habile ! Ils ne veulent pas laisser penser que l'on progresse ouvertement vers le mariage. Je vois ce que ce vieux renard de Louis essaie de faire. Il ne met pas tous ses œufs dans le même panier ! Ah ! Mais quand il verra mon petit poussin, il ne pourra plus résister, il le lui faudra pour son petit-fils.

J'espère que M. Ducreux n'a pas compris. Car le « petit poussin » – moi, en l'occurrence – comprend très bien l'allemand, et se sentait extrêmement mal à l'aise.

11 mars 1769

M. Ducreux a tout compris ! J'étais mortifiée. Mais il a été très gentil. Il m'a dit :

– Ne rougissez pas, Votre Altesse, ou je n'aurai plus assez de carmin pour votre robe. Ne craignez rien, vous êtes la personne la plus charmante que j'ai jamais peinte. Vous êtes si jeune, si fraîche !

Il a chassé M. Larseneur quand celui-ci est arrivé avec un panier plein de cheveux postiches et un flacon de poudre.

– Non ! Non ! Rien de tout cela. Est-ce que vous mettriez de la poudre sur les fleurs d'un cerisier ? Est-ce que vous teindriez les muguets qui sortent de terre après les dernières neiges de l'hiver ? Vous êtes fou ?

Ensuite, il m'a divertie en me racontant de merveilleuses histoires sur les forêts autour de Versailles, à quel point elles sont belles, pourquoi il est si agréable de s'y promener à cheval, surtout au printemps, quand les bulbes sauvages commencent à germer pour donner naissance à des millions de perce-neige. Oh, tout cela paraît enchanteur ! J'aime vraiment beaucoup M. Ducreux. Il est si « artiste » en tout. Il peint aussi bien avec des mots qu'avec son pinceau.

5 avril 1769

Vraiment désolée, cher journal, de t'avoir délaissé si longtemps, mais j'ai été très malade ces trois dernières semaines... Tout le monde a attrapé une bronchite, même maman. Elle nous fait suivre à tous un régime très strict : nous devons boire du lait d'ânesse au moins une fois par jour. Elle soutient que le lait d'ânesse est bien meilleur que le lait de vache quand on a les bronches obstruées par le mucus. C'est elle qui a décrété cela et non le médecin. L'impératrice dit souvent que, si elle ne régnait pas, elle serait médecin. Elle le répète constamment, même devant le docteur Kreinetz. Il a l'habitude et se contente de sourire. Je ne crois pas qu'il y ait quoi que ce soit que maman ne se croie pas capable de faire. Combien de fois l'ai-je entendue soupirer que si seulement elle en avait le temps — c'est-à-dire si elle n'était pas impératrice du Saint Empire romain... Je vais faire une liste de tout ce que maman serait si elle n'était pas impératrice :

- médecin
- cantatrice
- dresseuse de chevaux
- apothicaire
- sergent d'artillerie !

Elle a vraiment dit qu'elle aurait voulu être sergent d'artillerie, en 1756, quand le Monstre a envahi la Saxe : elle était alors en train d'examiner le système d'essieux d'un nouvel affût de canon. Si elle n'avait pas été impératrice, a-t-elle déclaré à ses troupes, elle aurait adoré manœuvrer ce canon pour faire sauter le derrière du Monstre ! Cela lui a valu l'affection des soldats et a donné naissance à un couplet très grossier qu'ils chantaient sur le champ de bataille :

Freddy de Prusse, faut se pencher
Pour laisser l'impératrice viser
Vos fesses fileront jusqu'en Russie
Et votre cervelle sous le soleil de l'Italie

C'est ma mère !

6 avril 1769

Je recommence à poser pour M. Ducreux. J'ai été trop malade ces derniers temps et il n'a pu travailler que la robe et l'arrière-plan. Il pense que le tableau devrait être fini d'ici une semaine : il sera ensuite envoyé en France. J'espère que je vais leur plaire ! J'espère surtout que le dauphin me trouvera jolie... Je me suis appliquée de mon mieux pour avoir une expression douce et un regard gentil. Pendant que Ducreux peint, je réfléchis à des moyens de rendre le dauphin heureux. Je me remémore des histoires drôles ou des chansons que je pourrais partager avec lui. Je me demande si j'aurai jamais un jour le courage de lui réciter le couplet sur maman... C'est si drôle, mais je crois que je deviendrais rouge comme une cerise. C'est-à-dire que je ne me vois pas du tout dire le mot « fesses » à l'homme qui sera mon mari. Oh, mon Dieu, j'en rougis déjà, rien que d'y penser toute seule dans ma chambre !

17 avril 1769

Je n'ai pas beaucoup écrit ces derniers temps. Entre les fêtes de Pâques et la confusion qui règne ici à cause des préparatifs de départ de la cour pour Schönbrunn, c'est à peine si j'ai eu une minute à moi. Même mes leçons avec l'abbé de Vermond et Noverre, le maître de danse, ont cessé. L'abbé s'émerveille de mes progrès, puis il me fait un clin d'œil et chuchote :

– Je pense que c'est votre ami qui vous a aidée.

Par « ami », il veut dire toi, cher journal, et il est vrai que c'est bien ce que tu as été pour moi ces derniers mois. Quelle bénédiction ce fut, le jour où l'abbé t'a apporté dans mes appartements pour t'offrir à moi ! C'est toi qui es fermé à clef, mais c'est moi qui ai ouvert mon cœur pour te faire part de mes pensées les plus intimes.

Mon portrait est en route pour la France, pour la cour de Versailles. Je tremble chaque fois que j'y pense. Qu'est-ce qu'il — le dauphin — va penser de moi ? Et si je ne suis pas assez jolie ? Et s'il trouve que j'ai un regard dur, ou morne ? Je trouve que mon portrait est très ressemblant, mais comment juger de son propre visage ? Je ne sais même pas de quoi Louis-Auguste a l'air. Peut-être est-il le jeune homme le plus beau de toute la terre, semblable à un dieu descendu de l'Olympe ? Et il paraît que les femmes de la cour de France rivalisent de beauté avec Aphrodite. C'est ce que l'on a dit de la précédente « bonne amie » du roi Louis, la marquise de Pompadour. Si l'on me compare à ces magnifiques créatures, je dois ressembler à une pauvre petite souris d'église viennoise...

Je suis si nerveuse... Tous les soirs, je prie Dieu pour que le dauphin ne soit pas déçu, mais si aucune demande officielle de mariage n'arrive d'ici un mois, je vais être folle d'inquiétude. Et quelle sera la décision de maman ? J'imagine qu'elle fera de moi une abbesse, comme la plus âgée de mes sœurs, Anna, qui vit dans un couvent à Prague. Ou comme Elisabeth, abbesse au couvent d'Innsbrück. Certes, elles ne sont pas obligées d'y résider et se rendent juste sur place à l'occasion. En tout cas, voilà ce qui arrive aux archiduchesses à qui l'on ne trouve pas de mari...

Palais de Schönbrunn
25 avril 1769

Enfin, nous y sommes ! Y a-t-il un événement qui provoque autant de tumulte et de confusion qu'un déménagement de cour ? Il faut que nous allions nous coucher pour pouvoir profiter de la journée de demain, maintenant que nous sommes là, à part maman, bien sûr, qui doit rencontrer des ministres. Notre suite, quand nous allons à Schönbrunn, comprend plus de mille personnes. La voiture de l'impératrice est à elle seule accompagnée de vingt-trois autres voitures qui transportent ses dames de compagnie, ses servantes, l'apothicaire, d'autres personnes encore... Viennent ensuite quatre voitures pour la cuisine, spécialement aménagées pour transporter divers ustensiles et provisions, en plus des habituels courtisans, trompettes, pages, postillons et gardes montés. Ah, oui, il y a aussi une voiture spéciale pour le père confesseur et le chapelain, et encore dix-huit autres avec nos bagages et d'autres provisions — et deux rien que pour les instruments de musique !

27 avril 1769

C'est si agréable d'être à Schönbrunn ! Tout est tellement plus simple ici... Nous avons le droit de piqueniquer tous les jours, sous la garde de Lulu et Hans.

Aucune des dames de maman ne nous accompagne. J'ai néanmoins invité l'abbé à notre premier pique-nique hier, et Titi a convaincu Elisabeth de venir avec nous. À Schönbrunn, Elisabeth porte des voiles blancs pour dissimuler son visage, au lieu des voiles foncés dont elle se couvre à Vienne. Je crois qu'elle aime sentir le soleil briller et la réchauffer à travers le fin tissu. Je l'ai observée aujourd'hui, assise sur la tapisserie dans le pré aux Alouettes. C'est comme cela que nous appelons l'un des endroits que nous préférons pour pique-niquer, parce qu'il est plein d'alouettes. Elle a une silhouette et une grâce parfaites. À travers le voile, je voyais son profil. Il est bien plus beau que le mien. Son visage est exquis. On dit que nous, les Habsbourg, avons la lèvre inférieure un peu protubérante. C'est vrai, sauf pour Elisabeth. Et ses yeux sont de la couleur des violettes. Une alouette s'est mise à chanter, elle a pris ma main et m'a dit :

– Écoutez, Antonia ! Écoutez !

Puis elle a tapoté le rythme du chant de l'alouette dans ma paume. Je l'ai regardée et, à travers son voile, j'ai vu qu'elle souriait. Elle semblait rayonner de bonheur, mais d'un bonheur que je n'ai jamais vu chez personne d'autre.

29 avril 1769

Un nouveau pique-nique aujourd'hui, et une promenade à cheval. Maman n'est pas venue avec nous ; j'ai pu chevaucher à califourchon. L'impératrice, qui elle-même monte toujours de cette manière, a tout à coup décrété qu'il n'en était plus question pour moi. Je pense que c'est une suggestion des Français. C'est ridicule ! On a une bien meilleure assiette à califourchon. Je suis partie avec Ferdinand, Hans, Lulu (qui chevauchait en amazone, bien entendu) et mon frère Max, qui a juste un an de moins que moi. Max est un magnifique cavalier et nous aimons bien faire la course.

5 mai 1769

Maman est furieuse contre moi. Je crois que je ne l'ai jamais vue dans une telle colère. Aujourd'hui, Max et moi avons fait la course à travers un bois clairsemé que nous adorons, jusqu'à un petit cours d'eau. Mais cette année, l'eau du ruisseau était beaucoup plus haute que nous ne le pensions, mes jupons se sont vite trempés et je me suis retrouvée couverte de boue de la tête aux pieds. Quand nous sommes arrivés dans la cour du château, maman se trouvait là avec une délégation de graves gentilshommes. J'ai reconnu à leur habit qu'ils appartenaient à la cour de Versailles : leur livrée était bleu ciel et or, les mêmes couleurs que toi, cher journal. J'ai cru défaillir. Pendant un moment, j'ai espéré que personne ne me reconnaîtrait, ainsi maculée de boue et, bien sûr... à califourchon sur mon cheval.

On m'a demandé d'approcher, et j'ai obéi. Maman semblait changée en statue de pierre. J'ai mis pied à terre et esquissé une révérence ; une petite plaque de boue séchée est alors tombée de mon cou.

– Antonia, m'a dit maman, inutile de te présenter le marquis de Durfort dont tu te souviens, bien sûr, ainsi que de ses conseillers.

J'étais mortifiée.

– Je pense qu'il vaudrait mieux que tu présentes des excuses et que tu ailles prendre un bain, a-t-elle ajouté d'une voix glaciale.

Oh, Seigneur, est-ce que j'ai tout gâché ? Comment vais-je pouvoir me racheter ? Je me sens si mal... J'ai reçu un billet de maman, qui m'ordonne de me présenter à ses appartements demain matin.

6 mai 1769

C'était encore pire que ce que je redoutais, pire que tout ce que j'ai jamais pu imaginer. Maman n'a pas crié : elle ne s'est pas lancée dans une de ses grandes tirades habituelles. Non, elle est restée immobile et silencieuse, me foudroyant du regard. Elle n'a pas dit un mot pendant quatre bonnes minutes, je crois, puis elle a renvoyé ses dames de compagnie et ses gardes ! Je ne l'avais jamais vue faire ça. En fait, je ne m'étais jamais de ma vie trouvée seule avec ma mère jusqu'à ce moment précis. Ils sont sortis : elle continuait à me fixer du regard. Et les minutes n'en finissaient plus de passer. Puis, elle a fait deux petits gestes, en s'assurant que je n'en perdais rien : elle a fait tourner son alliance à son annulaire gauche, puis sa bague de diamant du Saint Empire romain sur son majeur. J'ai su alors que j'avais failli dans les deux missions les plus sacrées que l'on m'avait confiées. J'avais mis en danger mon mariage à venir, mais aussi l'empire. C'était presque comme si j'avais, durant ces quelques secondes, pu sentir sur notre dos à tous le souffle chaud du Monstre. Ensuite maman a dit :

– Sortez ! et ses mots ont embrasé l'espace.

7 mai 1769

Je suis allée me confesser. J'aurais voulu que mon confesseur me donne à réciter plus de rosaires qu'il ne l'a fait. J'espérais qu'il me ferait porter une robe de bure, qu'il me priverait de viande et m'ordonnerait de manger de la bouillie sans sucre pendant une semaine. Mais il s'en est abstenu. J'imagine qu'il me faut chercher moi-même ma pénitence.

10 mai 1769

J'ai lu le livre de méditations que maman m'avait offert pour mon dernier anniversaire. J'ai manqué deux pique-niques, je suis restée dans la chapelle pendant près de dix heures ces deux derniers jours, et je refuse de manger de la viande.

11 mai 1769

Elisabeth m'a apporté un plat de viande, un bol de bouillon épais et un verre de lait d'ânesse. Quand j'ai vu le lait d'ânesse, j'ai compris que maman n'était pas étrangère à tout cela.

Derrière ses voiles, ma sœur voit et comprend mieux que quiconque à la cour. Elle m'a parlé avec douceur. Ses mots agitaient son voile comme une brise d'été.

– Vous voudriez porter une robe de bure et un cilice, vous flageller, comme les moines. Vous ne prenez que du pain et de l'eau et vous pensez que c'est comme cela que vous pourrez vous racheter aux yeux de maman. Mais notre mère est très intelligente. Elle sait bien que le pire châtiment, c'est justement de ne rien dire et de ne pas vous punir. Elle prétend que, de toute façon, vous ne pouvez rien faire pour arranger la situation. Et, soit dit en passant, elle ne vous laissera jamais écorcher votre jolie peau avec une chemise de crin ni manquer de viande, de peur que les roses de vos joues ne se fanent, car en ce cas...

J'ai complété :

– ... je serai trop laide pour le dauphin.

Le voile a bougé doucement de haut en bas en signe d'approbation. J'ai ajouté :

– Je comprends.

Là, elle m'a surprise. Elle a répliqué :

– Vous ne comprenez pas tout, Antonia.

Je lui ai demandé ce qu'elle voulait dire par là. C'est alors qu'elle m'a fait la plus surprenante des réponses. J'ai décidé de tout noter ici le plus exactement possible :

– Maman n'a le pouvoir de vous punir que dans la mesure où vous, vous la laissez faire. Elle est habile à entrer dans l'esprit des gens et à faire plier leur volonté à la sienne. Mais ne la laissez pas vous châtier de cette manière. Oui, d'accord, vous avez commis une faute. Mais ce n'est pas un péché, ni mortel, ni véniel. Elle a demandé au confesseur de ne pas vous donner une pénitence trop lourde parce qu'elle savait qu'elle pouvait faire mieux que cela. De toute façon, le confesseur ne vous en aurait pas donné plus. Il sait ce qui relève du royaume de Dieu, et ce qui relève de l'Autriche. Vous n'avez péché que contre...

J'ai terminé à sa place :

– L'Autriche...

Mais Elisabeth m'a interrompue avec une surprenante sécheresse :

– Non ! L'idée que maman se fait de l'Autriche.

À ce moment-là, c'était comme si j'avais pu voir à travers les voiles de ma sœur et, ce que j'ai vu, c'était une femme libre, libérée de maman, libérée de l'Autriche, des empires et des maris, habitée uniquement par sa propre musique et l'amour de Dieu. Si les gens, et surtout les femmes, connaissaient le secret d'Elisabeth, elle serait la femme la plus enviée de l'empire, de l'Europe et du monde !

14 mai 1769

Je recommence à pique-niquer. Je vais à la chapelle une heure par jour au lieu de cinq. Je m'exerce à la harpe avec assiduité et j'ai demandé à Elisabeth de m'y aider. Je passe de longues minutes, chaque jour, à essayer de me concentrer sur ce que ma sœur a dit : ne pas laisser maman envahir mon esprit. C'est difficile, car sa présence est forte, même lorsqu'elle n'est pas là. Je ne cherche pas à contrecarrer ses projets, mais j'aimerais avoir mes pensées propres et ne pas la laisser m'imposer un caractère qui n'est pas le mien. Après tout, c'est mon caractère et non celui de maman. Les gens disent que je ressemble beaucoup à mon cher père, surtout par l'esprit, mais il faut que je sois davantage que cela. Quelque chose qui ne soit qu'à moi, et que moi.

19 mai 1769

Bal masqué ce soir. Chose étrange, je n'ai même pas songé une seule fois à essayer de convaincre Elisabeth d'y participer. Titi ne comprend pas pourquoi, dans la mesure où c'était encore il y a peu notre grand projet. Il m'est difficile de le lui expliquer. Elle est si jeune ! Mais maintenant que j'ai vu à quel point ma sœur est heureuse et se suffit à elle-même, tenter de vouloir à tout prix l'emmener à un bal masqué me paraît assez frivole.

20 mai 1769

Le bal était magnifique. Le parquet avait été transporté dans les roseraies illuminées de torches immenses, et l'eau des fontaines était teinte en rose. J'ai dansé jusqu'à ce que j'aie l'impression que mes pieds allaient se détacher de mes jambes. Sous son masque d'aigle, maître Noverre s'est avancé vers moi (d'un pas dégagé) et m'a glissé que la délégation française avait été enchantée de ma gavotte. Je ne maîtrise pas encore toutes les figures compliquées des danses françaises. Elles sont bien plus difficiles que nos simples rondes autrichiennes. Il m'a tout de même félicitée d'avoir eu la bonne idée de placer un « tendu » à la fin, qui a révélé ma cheville. Je ne savais même pas que j'avais montré ma cheville. C'était tout à fait involontaire. J'espère que maman n'a rien vu : elle m'en aurait voulu. Mais Titi et moi avons pris de nombreux cours de ballet depuis que nous sommes arrivées à Schönbrunn, et je pense que cela doit parfois se voir, à mon insu. Un tendu est une extension de la jambe et du pied. La pointe du pied doit être tendue, bien sûr. Il faut croire que j'y arrive bien. La soirée s'est achevée par un feu d'artifice représentant un dauphin soufflant des gerbes de feu par les narines !

23 mai 1769

Je suis remontée à cheval pour la première fois depuis l'incident. Je n'ai pas chevauché à califourchon et je n'ai pas galopé dans la boue. Et c'était loin d'être aussi amusant...

27 mai 1769

Maman est rentrée à Vienne pour quelques jours. Elle s'y rendra régulièrement tout l'été, car elle ne supporte pas d'être éloignée trop longtemps de la tombe de papa. J'en ai profité pour monter à califourchon, mais j'ai évité la boue. C'était amusant quand même.

28 mai 1769

Chevauché à califourchon et rentrée crottée de la tête aux pieds. Bien plus amusant !

29 mai 1769

Maman revenue aujourd'hui. Chevauché en amazone dans un pré.

2 juin 1769

Mon frère Leopold est arrivé aujourd'hui avec sa femme, Maria Luisa d'Espagne. Leur petit garçon, François, est adorable. On dirait un petit ange grassouillet, tout rose et tout doré. Et il sourit tout le temps. Cela nous étonne beaucoup, Titi et moi, parce que Maria Luisa ne sourit jamais : c'est la personne la plus sombre et la plus sévère que j'ai jamais rencontrée.

4 juin 1769

Le petit François, poursuivi par sa nourrice, a galopé dans le long couloir et nous a repérées, Titi et moi. Nous prenions notre leçon avec maître Noverre. Il est entré en trombe et s'est posté à la barre. Il pouvait à peine l'atteindre, mais il a imité tous nos mouvements. Maître Noverre était ravi. Je crois que cet enfant est extrêmement doué. Sans aucune difficulté, il a fait des pointes et arrondi ses bras en l'air avec grâce.

5 juin 1769

Le petit François est comme un rayon de soleil qui éclaire tout le palais. Il a même subjugué maman. Elle lui a offert un chiot et un poney, et il adore monter sur ses genoux pour jouer avec le gros pendentif d'émeraude qu'elle porte souvent. Vous savez, je ne me rappelle pas être jamais montée sur les genoux de ma mère... Elle devait être si occupée avec ses seize enfants, même si trois d'entre eux sont morts en bas âge ! Maximilian, Ferdinand et moi n'avons qu'un an d'écart. Elle n'a pas dû avoir le temps de nous faire sauter sur ses genoux. Je me souviens de m'être assise sur les genoux de papa. Il faut dire qu'il n'avait pas autant de travail. Car, même s'il avait le titre d'empereur, ce n'était pas, selon les droits du sang, à lui de régner, mais à maman. Papa était duc de Lorraine. Même si cette province fait aujourd'hui partie de l'empire autrichien, elle est située au nord-est de la France. Très gênant, du coup la France, l'Autriche, la Prusse et l'Espagne se disputent cette frontière. Le mariage de maman et de papa a provoqué un terrible fracas connu aujourd'hui sous le nom de guerre de la Succession d'Autriche. Les Français voulaient que ce soit cet horrible rustre bavarois qui règne et devienne empereur. La seule façon pour maman de devenir impératrice était de donner la Lorraine à la Pologne, à la condition que, à la mort de papa, elle serait rendue à la France. Et c'est ce qui s'est passé en 1766. Maintenant, si j'épouse le dauphin, je régnerai plus tard sur ce qui appartenait à mon père. Cela me rendra très heureuse, et j'espère que là-haut, au paradis, papa sera heureux aussi.

7 juin 1769

Maman veut que je passe tous les matins vingt minutes dans ses appartements. Lulu m'accompagne, et nous parcourons ensemble les règles d'étiquette de la cour de Versailles. Je devine, quand je vois maman lire les tableaux que ma gouvernante me prépare, qu'elle-même trouve parfois tout cela exagéré. Ce matin, elle a écarquillé les yeux en s'écriant :

– Dieu tout-puissant ! Une dame d'honneur, une dame d'atours, une première femme de chambre, une seconde dame d'atours... et une femme de la garde-robe ? Tout cela pour s'habiller ?

Ce que ma mère réprouve en particulier, c'est que les femmes de chambre aient le droit de vendre les vieux habits que la dauphine ou la reine ne mettent plus, et aussi de récupérer pour elles toute la cire des chandelles de la chambre à coucher et de la salle où l'on joue aux cartes. J'ai demandé à maman pourquoi cela lui déplaisait tant, et elle m'a répondu :

– Parce que cela leur donne trop de pouvoir sur leurs subalternes ; elles peuvent user de ces privilèges pour gagner en influence ou pour jouer de leur autorité. Ce n'est pas bon. Je ne le permettrais jamais.

J'ai le sentiment que maman trouve tout ce système bien trop coûteux et bien trop compliqué.

– Deux dames du bain ! Ridicule ! Tu prends tes bains toute seule depuis l'âge de six ans.

Puis elle s'est tue un instant.

– Bien sûr, si tu continues à chevaucher dans des ruisseaux pleins de boue, il te faudra bien quatre dames du bain !

J'ai alors cru voir une petite étincelle dans ses yeux, et comme une ébauche de sourire sur ses lèvres. Mais elle a quitté la pièce si vite que je n'en suis pas tout à fait sûre. En tout cas, je crois que c'est la première fois que maman plaisante. Je trouve cela merveilleux. Ma mère a plaisanté !

13 juin 1769

Oh, mon Dieu, ça y est ! Elle est enfin là — la demande en mariage ! Les émissaires personnels du roi Louis XV sont arrivés ce matin. J'ai tout de suite été appelée dans la maison d'été de maman, la Gloriette, où elle travaille pendant les jours les plus chauds. J'ignorais pourquoi j'avais été convoquée. En fait, je pensais que Maria Luisa avait été tout raconter à maman sur notre pique-nique, et que j'allais me faire gronder parce que j'avais joué à me laisser rouler le long des collines ! Mais j'avais à peine posé le pied dans la fraîche salle de réception en marbre que maman s'est levée de sa chaise et s'est précipitée vers moi. Elle m'a écrasée sur sa poitrine et a murmuré :

– Antonia, tu vas te marier ! Tu vas devenir reine de France !

Ses joues étaient toutes mouillées de larmes, et les miennes n'ont pas tardé à l'être aussi ! Elle m'a conduite à la chapelle, où nous sommes tombées à genoux pour remercier Dieu de cette bonne et grande fortune. Maman m'a serré la main pendant toutes les prières que le confesseur a psalmodiées. Alors ça y est enfin ! Tout ce que maman avait planifié — les leçons, les longues heures avec le coiffeur — a porté ses fruits. En six mois, j'ai fait tout ce chemin-là. Cher journal, j'écris si facilement, maintenant ! Est-ce que tu sais que, par le passé, quand je devais rédiger le moindre devoir, ma vieille gouvernante, Brandy, me préparait d'abord le texte au crayon pour que je repasse à l'encre dessus ? Et regarde où j'en suis à présent ! Oh, j'imagine que, quand je serai reine de France, j'aurai beaucoup à écrire. Ou peut-être pas. Il y aura certainement des secrétaires pour le faire à ma place. Mais peut-être, comme maman, me chargerai-je moi-même de mon courrier.

14 juin 1769

Les gens ne me voient plus du même œil. En ce qui concerne Maria Luisa, c'est vraiment le moins qu'on puisse dire. Je crois qu'elle est un peu déçue. Elle, comme d'autres, je crois, ne pensait pas que le mariage finirait par se faire. Mais maintenant, tout le monde est au courant, et je vois bien qu'on se comporte différemment avec moi. On cesse de parler quand j'approche, exactement comme on le fait quand ma mère passe. On recule d'un pas, non seulement dans les couloirs étroits de Schönbrunn, mais aussi dans les plus spacieux. Mes professeurs, comme Noverre, et même, oui, même l'abbé, se comportent différemment. Tous, sauf ma gouvernante. Elle est restée cette chère vieille Lulu.

15 juin 1769

Maman a décidé qu'il fallait que nous fassions un pèlerinage à Mariazellen, un village à quelques kilomètres d'ici. Il y a là-bas une statue en bois de la Vierge, dont on dit qu'elle apporte aux jeunes mariés chance et nombreuse descendance. Nous partons demain et nous y resterons une semaine, pour une retraite dans un monastère où nous ne ferons rien d'autre que prier et jeûner légèrement, ce qui veut dire pas de viande, mais du poisson. Pas de pâtisseries. Seulement de la nourriture simple, comme dit toujours maman. Ce qui sous-entend des bouillons clairs, du lait d'ânesse (le remède miracle de l'impératrice), des fromages et, bien sûr, du pain. Peut-être une poire des vergers du monastère.

Ce séjour risque d'être très ennuyeux, dans la mesure où je n'aurai même pas le droit d'écrire. Mais c'est peut-être mieux ainsi : si je t'emmenais avec moi, cher journal, maman risquerait de te découvrir, surtout si nous partageons la même chambre. Monastère ou pas, elle ne saurait résister à la tentation de fourrer son nez dans un journal intime !

En toute honnêteté, cela ne me dérange pas d'aller là-bas. Si le plus cher souhait de maman est que mon mariage soit heureux, alors c'est bien le moins que je puisse faire.

5 juillet 1769

De retour de Mariazellen. Cela n'a pas été aussi ennuyeux que je le craignais. Chaque jour, nous passions de nombreuses heures à prier la Vierge. Son charmant visage a perdu presque toute sa peinture et son expression s'est estompée. Chaque matin, j'avais l'impression de la voir sous un jour nouveau et, les derniers jours, j'ai enfin compris qu'elle me faisait tout à fait penser à ma sœur Elisabeth, comme si les années d'usure, la peinture qui s'effrite et le bois qui se lisse, avaient jeté une espèce de voile sur son visage — un voile de tranquillité et de total renoncement.

Quand nous n'étions pas absorbées par nos prières, nous aidions les sœurs à leur travail de broderie. Nous nous sommes promenées sur les collines voisines, parsemées de fleurs des prés, et avons bu beaucoup de lait d'ânesse. Tout était calme. Tout était simple, et ce séjour restera dans mes souvenirs comme un îlot de tranquillité.

7 juillet 1769

On m'a appris un nouveau jeu de cartes qui est en train de devenir très populaire à Versailles. L'abbé de Vermond m'a expliqué qu'en ce moment c'est le jeu préféré des filles du roi Louis, Adélaïde, Victoire et Sophie.

On m'a dit que le roi avait été très impressionné par le pastel que Ducreux lui avait envoyé. J'espère qu'ils vont nous envoyer un portrait du dauphin. Je suis tellement impatiente de savoir à quoi ressemble mon futur mari ! J'en sais si peu sur lui ! En tout cas, je sais que son anniversaire approche. Il aura quinze ans le 23 août. Il faudrait peut-être que je lui fasse un cadeau. Une veste brodée ? Je n'aurai jamais fini à temps ! Quelque chose de plus petit ? Une couverture brodée pour son livre de prière ? Le dauphin a presque quinze mois de plus que moi. Je vais avoir quatorze ans le 2 novembre. Je pense que c'est une bonne différence d'âge. Ferdinand de Naples est bien plus âgé que Caroline : il a un grand nombre de rides et beaucoup de poils gris, dont certains lui sortent des oreilles. C'est assez dégoûtant.

12 juillet 1769

Les « poupées de France » sont arrivées aujourd'hui. Ce sont de petites figurines de mode qui permettent de voir à quoi ressembleront les robes une fois portées. Elles sont absolument charmantes et mesurent à peu près un pied de haut. Il y en a une rien que pour les dessous — chemises, corsages, sous-jupons, jupons, corsets et cerceaux. Mais ce sont les robes qui sont les plus incroyables. La « modiste », celle qui a créé ces nouveaux modèles, est une jeune femme qui s'appelle Rose Bertin.

Elle a inventé des toilettes tout à fait extraordinaires. Je les adore toutes ! Dire qu'il n'y a là que ses projets pour le début du printemps à Versailles ! Les paniers sont encore plus larges, ce qui permet de mettre plus de décorations, de fronces et de volants de dentelle. Les décolletés sont très plongeants, et je dois avouer que ces petites poupées ont plus de poitrine que moi. Et puis il y a aussi des rubans ornés de fleurs, les plus beaux que j'aie jamais vus, qui s'appellent « échelles » et qui retombent sur le devant de la robe, au-dessus de la « pièce d'estomac ». La pièce d'estomac est un triangle de tissu qui part du décolleté et descend sur l'estomac, ce qui affine la taille.

La toilette que je préfère s'appelle une « polonaise ». C'est une robe-pardessus, ou robe-manteau, avec une jupe qui s'ouvre à partir de la taille et qu'on relève pour montrer les jupons. Maman l'a trouvée scandaleuse. Moi, je la trouve magnifique, et je me suis dit qu'on devait être très à l'aise dedans. J'ai donc commandé deux polonaises et deux « robes à la Créole », qui sont censées s'inspirer des tenues que portent les dames françaises aux Amériques. C'est un costume très simple, presque aussi léger qu'une chemise, serré à la taille par une large ceinture à nœud bouffant. J'ai commandé aussi quelques-unes des robes à très larges paniers, des mantes et des pèlerines. Le mariage est fixé pour le mois de mai, et Mme Bertin a déjà commencé ma robe de mariée. Une poupée arrivera le mois prochain. Je crois que la robe sera de brocart de satin avec des diamants. La poupée, bien sûr, ne portera que de fausses pierres... Oh, tout cela est si excitant ! Je compte les jours.

15 juillet 1769

Une lettre de la comtesse de Noailles est arrivée avec les poupées. La comtesse sera ma dame d'honneur. La lettre était très gentille. Elle disait que, puisque j'avais une poupée sous les yeux, elle allait profiter de l'occasion pour m'expliquer quelques-unes des règles de l'étiquette concernant la mode et l'habillement. Personne ne me croira — suivent quinze pages d'une écriture serrée, consacrées à ces fameuses règles ! Comment vais-je m'y prendre pour les retenir toutes ? L'une d'elles est particulièrement absurde : les barbes de coiffe, que l'on porte habituellement relevées, doivent toujours être desserrées et rester tombantes lorsque l'on reçoit dans les salons d'apparat. Ici, à la cour, personne ne laisse pendre ses barbes de coiffe. Ces rabats de dentelle sont très gênants. Maman relève toujours les siennes, car sinon, elles trempent dans l'encrier... Même si le ton de la comtesse est des plus aimables, j'espère qu'elle n'est pas trop stricte en ce qui concerne l'étiquette.

18 juillet 1769

Comme l'été a été agréable ici ! Pique-niques, promenades à cheval, bals... On dit qu'à Versailles, une princesse doit être accompagnée d'au moins quatre dames, d'un porteur de chaise et d'un valet. Et lorsqu'une princesse se rend aux appartements du roi, elle doit descendre de sa chaise à porteurs dans la chambre des gardes, avant d'entrer chez le roi... mais elle ne peut se rendre jusque-là à pied. Ici, personne ne porte personne. Nous n'avons même pas de chaises de ce genre.

19 juillet 1769

Toutes ces histoires de règles et d'étiquette m'occupent de plus en plus l'esprit. Chaque semaine arrivent de nouveaux documents concernant les rituels de la cour. Je n'en ai pas encore reçu sur les jeux de cartes. Je ne suis pas vraiment une bonne joueuse, mais je dois me souvenir que seule une dame de compagnie a le droit de me tendre directement les cartes — surtout pas une dame de la chambre ! Je fais de mon mieux pour retenir tous ces détails. Je dois dire que Lulu fait tout son possible pour que ce soit agréable, et parfois même amusant.

Malgré toutes ces obligations, je suis bien décidée à profiter de la fin de l'été et de la liberté exceptionnelle dont je jouis, ici, à Schönbrunn. La nuit dernière, Titi et moi sommes allées patauger dans l'eau des fontaines, en chemise de nuit. Il faisait si chaud ! Alors nous nous sommes décidées. Je suis prête à parier qu'à Versailles on ne me le permettra jamais — même si je suis reine et que je l'exige. C'est peut-être une pensée terrible à coucher sur le papier. Maman serait si furieuse, mais il faut quand même que je l'écrive : quel est l'intérêt de devenir reine de France si on n'a pas le droit de se promener en chemise de nuit, pieds nus, dans les fontaines ?

24 juillet 1769

La poupée qui porte la robe de mariée est arrivée aujourd'hui. Je n'ai jamais vu plus belle toilette ! Elle est de brocart blanc avec des arabesques de diamants. Les cerceaux sont gigantesques ! Avec la robe, j'ai trouvé une note de la modiste, Mme Rose Bertin, qui expliquait qu'elle avait dessiné cette robe en gardant à l'esprit la galerie des Glaces de Versailles. C'est en effet à travers cette galerie que le cortège du mariage passera pour se rendre à la chapelle royale. Plus de cinq mille sièges y seront installés pour que les spectateurs puissent nous regarder. Mme Bertin écrit : « ... et les quatre mille diamants qui sont en ce moment même cousus sur votre robe paraîtront, une fois reflétés dans la galerie des

Glaces, quarante millions ! Vous serez, Votre Altesse, la femme la plus resplendissante au monde ! »

Maman a lu le billet, a fait la moue et a marmonné :

– Heureusement que ce sont eux qui paient !

J'ai rougi. Comment maman peut-elle penser à l'argent dans un moment pareil ?

27 juillet 1769

La chaleur est accablante. Il est impossible de dormir. Titi et moi, nous nous sommes à nouveau aventurées dans les fontaines cette nuit. Et tu ne devineras jamais qui nous y avons rencontré ! Maman ! Nous avons eu très peur. Elle était accompagnée de l'une de ses dames de la chambre et portait une grande pèlerine sur sa chemise. Elle a déclaré :

– C'est la meilleure idée de tout l'été !

Elle s'est assise sur un banc, a enlevé ses chaussures et ses bas, avant de nous rejoindre dans le bassin. Elle a laissé sa chemise tremper dans l'eau et a appelé sa suivante :

– Bissy ! Venez, c'est tellement agréable !

Puis elle a murmuré à notre intention :

– Elle ne viendra pas. Elle a peur de tout.

Bissy est restée où elle était. Mais maman, Titi et moi avons barboté tout notre content. Ma mère nous a confié qu'elle avait l'habitude, quand elle était jeune, de se baigner dans les fontaines. J'ai remarqué — la lune était pleine et le ciel dégagé — qu'elle avait bien grossi. Sa chemise mouillée lui collait aux cuisses : on aurait dit deux gros jambons.

Ensuite, nous sommes restées assises sur le rebord du bassin à regarder les étoiles. Maman sait tellement de choses... Elle a montré du doigt plusieurs constellations, puis elle a essayé de m'expliquer comment les bateaux naviguent en se guidant grâce aux étoiles. Mais je n'ai pas bien compris. On aurait dit des mathématiques très compliquées. On m'a enseigné très peu de mathématiques. Je me demande pourquoi maman sait tant de choses, et moi si peu. Elle a conclu :

– Cela m'a fait tellement de bien que je crois que je vais retourner travailler ! Bissy, veuillez apporter la boîte en laque rouge dans ma chambre pour que je lise encore quelques papiers avant de me retirer. Bonne nuit, Antonia. Bonne nuit, Theresa.

Puis elle s'est éloignée, pataude sous le clair de lune. Son ombre gigantesque s'allongeait sur la terrasse. Et il me semble l'avoir entendue chantonner pour elle-même ce couplet grossier sur Freddy, vous savez :

Freddy de Prusse, faut se pencher
Pour laisser l'impératrice bien viser
Vos fesses fileront jusqu'en Russie
Et votre cervelle sous le soleil de l'Italie

Je me demande si maman prépare une nouvelle guerre. J'espère que non. En tout cas, pas avant mon mariage !

28 juillet 1769

Ce matin, j'ai été appelée à la Gloriette. D'habitude, je reste debout pendant toute l'audience, comme tous les sujets de l'impératrice mais, cette fois, elle a ordonné que l'on m'apporte une chaise et l'a placée de l'autre côté du bureau. Personne, sauf mon frère Joseph, qui règne maintenant aux côtés de notre mère, ne s'assied jamais en face de l'impératrice dans ses bureaux. C'est tout à fait exceptionnel. Mais, soudain, j'ai compris pourquoi. La nuit dernière, maman et moi avions barboté en chemise de nuit dans les fontaines du palais. C'était amusant et très frivole. Maman essaie de me faire comprendre que mon statut est en train de changer. Que nous pouvons nous permettre ce genre de facéties ici, à Schönbrunn, mais que — oui, j'ai compris cela à sa manière de me fixer, dans son regard qui signifiait beaucoup — « nous sommes des souveraines, Antonia, la majesté est de mise ». Puis elle m'a dit :

– Quand tu seras en France, on ne t'appellera plus Antonia, mais Marie-Antoinette. Antonia est le prénom d'une jeune fille. Marie-Antoinette est le prénom d'une reine.

P.S. : Je ne pense pas que maman regrette son bain dans la fontaine. Elle n'est pas faite pour le regret. C'est quelque chose qu'elle ne connaît pas. Je crois qu'elle veut juste que je comprenne la différence entre ce genre de conduite, qui doit rester privée, et la conduite d'une reine, destinée au public.

1er août 1769

Nous avons reçu aujourd'hui de nouvelles dépêches concernant le protocole du dîner. Et je commence à me demander s'il y a, à Versailles, de la place pour la vie privée. Apparemment, la famille royale française a l'habitude de prendre son dîner en public plusieurs fois par semaine : on laisse entrer des gens dans les galeries qui surplombent la salle à manger pour qu'ils puissent d'en haut regarder dîner le roi, ses filles et ses petits-enfants ! Il peut y avoir jusqu'à mille spectateurs. Je crois que cela risque de contrarier ma digestion. Je me suis tournée vers Schnitzel, mon petit chien, qui était avec moi dans ma chambre, et je lui ai demandé :

– Cher Schnitzy, comment te sentirais-tu si tu devais dîner devant tout ce monde ?

Il a aboyé. J'en ai déduit que cela lui déplairait beaucoup.

2 août 1769

Aujourd'hui, Titi est venue me trouver, très préoccupée. Elle m'a dit que maman lui avait ordonné de m'appeler Marie-Antoinette, et que cela la mettait très mal à l'aise. Elle a ajouté que c'était comme une chaussure qui n'irait pas.

– Qui n'irait pas à toi, ou à moi ? lui ai-je demandé.

Elle a répondu :

– Ni à toi, ni à moi. Et puis, c'est un nom bien trop long pour une si petite personne.

Alors je lui ai permis de continuer à m'appeler Antonia en privé.

– Et Toni ? a-t-elle imploré (elle m'appelle souvent ainsi).

Je lui ai assuré qu'elle pouvait, quand nous sommes seules, user de ce diminutif. J'aurais pu ajouter que j'espérais qu'elle pourrait encore le faire, car ce monde-là, mon petit monde privé, disparaît progressivement. J'ai l'impression qu'il est en train de se dissoudre. Qu'en restera-t-il ? Qui restera-t-il ? Saurai-je reconnaître cette Marie-Antoinette, dauphine, femme de Louis-Auguste de Bourbon, future reine de France ? Qui est-elle donc ?

3 août 1769

Maman a décidé de donner un grand bal après notre retour à Vienne. Nous retournons au palais de la Hofburg en septembre, et il faudra un mois pour préparer la réception. Elle a envoyé une dépêche à la cour de Versailles pour demander si la modiste, Mme Rose Bertin, pouvait créer une toilette pour cette occasion.

4 août 1769

Je peux le déclarer ouvertement : je redoute la fin de l'été. Je ne séjournerai peut-être plus jamais à Schönbrunn. Chaque fois que nous faisons quelque chose, j'ai peur que ce soit la dernière fois — la dernière fois que nous pique-niquons tous ensemble, la dernière fois que je galope avec mon cheval à travers les bois...

27 août 1769

Cela fait plus de trois semaines que je n'ai pas écrit. Tu sais, cher journal, nous avons donné un spectacle ; j'ai tellement dansé que je me suis blessée au pied, et la blessure s'est infectée. L'infection a progressé du pied à la cheville, puis ma jambe s'est mise à gonfler. Si j'ai pu écrire que, la nuit où nous avons pataugé dans les fontaines avec maman, ses cuisses ressemblaient à de gros jambons, je dois reconnaître que ma cuisse était devenue encore plus grosse. J'ai eu des accès de fièvre et même de délire. On m'a saignée je ne sais combien de fois, et on a appliqué sur ce pauvre orteil tous les cataplasmes possibles et imaginables de l'empire. Chaque jour ramène son cortège de médecins et d'apothicaires, avec de nouveaux remèdes. L'un de ces remèdes a fini par agir : l'infection a reculé et ma jambe a retrouvé des proportions normales. Dès que maman a su que je survivrais, elle m'a grondée comme jamais. À côté, l'épisode de la boue, cet été, n'était qu'une plaisanterie. Elle m'a dit qu'il fallait absolument que tout cela reste secret. Si jamais la cour de France apprenait que j'avais été malade ou, comme elle dit, si insouciante, le contrat de fiançailles serait rompu. Elle m'a répété que j'avais non seulement mis en danger de mort ma propre personne, mais aussi l'empire et la France. Une fois de plus, j'ai senti le souffle du Monstre sur ma nuque. J'ai fini par fermer les yeux et j'ai feint d'être trop faible pour continuer à l'écouter. Quand je pense que tout est parti d'une pauvre petite ampoule... Maman est enfin sortie. Dès que j'ai entendu la porte claquer, j'ai murmuré pour moi-même :

– Ça en valait quand même la peine.

Je n'avais pas remarqué qu'Elisabeth se trouvait dans la pièce. Elle s'est approchée du lit, a serré ma main dans les siennes et, pour la première fois depuis qu'elle a eu la petite vérole, a relevé son voile. Ses charmantes prunelles violettes étaient baignées de larmes. Elle m'a regardée droit dans les yeux, puis m'a déclaré :

– Non, cela n'en aurait pas valu la peine si vous aviez dû en mourir, ma sœur.

Puis elle a souri de son si beau sourire. J'ai attiré à moi son pauvre visage grêlé et j'ai couvert de baisers ses joues ravagées.

30 août 1769

Je suis encore assez faible et de plus en plus anxieuse en ce qui concerne l'avenir. Je n'ai toujours pas reçu de lettre de Louis-Auguste, ni de portrait. Peut-être que de voir son visage soulagerait mes angoisses. Je pourrais me dire que je vais vers un ami. Le mot « mari » ne veut pas dire grand-chose pour moi. « Mari », « femme » — on dirait des mots que maman a inventés pour renforcer ses alliances.

Quand Caroline a épousé le roi de Naples, je me suis sentie très seule, comme abandonnée, et c'est après son départ que je me suis rapprochée d'Elisabeth. Ma sœur est devenue pour moi une véritable amie. Mais, dans quelques mois, il faudra que je la quitte à son tour. La vie est faite de trop d'adieux. Tout serait tellement plus simple si j'avais la certitude qu'un véritable ami m'attend en France...

3 septembre 1769

Je suis vraiment une sotte ! Je me plains que Louis-Auguste ne m'ait jamais écrit, mais est-ce que je lui ai écrit, moi ? Non. Il est vrai qu'on lui a envoyé mon portrait, mais ce n'est pas la même chose. Je vais écrire une lettre à Louis-Auguste. J'ai fait tellement de progrès depuis l'année dernière ! C'est grâce à toi, cher journal. Je vais commencer tout de suite. Cela me prendra peut-être quelques jours. Et demain, la cour retourne à Vienne.

Palais de la Hofburg, Vienne
9 septembre 1769

Tant de désordre ! Et pas un instant de loisir, ou presque, pour écrire ma lettre. Mais voici mon premier essai — en fait, c'est le second. Je vais le recopier ici pour m'entraîner un peu.

Mon cher Louis-Auguste,

C'est avec beaucoup de chaleur que je vous écris. Je suis si contente de venir en France pour devenir votre femme, la dauphine. J'espère que je serai pour vous une bonne épouse, ainsi qu'une merveilleuse amie, et que nous passerons de bons moments ensemble. On m'a dit que vous aimiez chasser. Eh bien, moi, j'aime monter à cheval. Je peux chevaucher à califourchon ou en amazone, comme vous le jugerez préférable. J'aime jouer aux cartes. J'aime danser. Je ne suis pas une très grande lectrice, mais j'essaie de prendre l'habitude de lire, parce que je pense que cela est précieux. J'adore organiser et donner des spectacles. C'est quelque chose qui me ferait très plaisir à Versailles.

J'espère que vous trouverez un peu de temps pour me répondre et pour me raconter quelques-uns de vos passe-temps préférés. Si vous aimez quelque chose que je ne connais pas, j'essaierai de l'apprendre. Je veux tout partager avec vous : c'est comme cela que nous deviendrons de très bons compagnons.

Bien à vous,

Marie-Antoinette

10 septembre 1769

J'ai envoyé la lettre aujourd'hui, par le courrier habituel, qui part pour Versailles tous les dix jours. J'aime à imaginer ma petite lettre en train de voyager à travers l'empire jusqu'à la frontière française, sur des routes creusées d'ornières, par les monts et les vallées, au-delà des rivières...

11 septembre 1769

Je suis furieuse ! Je me sens si bête... J'ai passé toute une journée à imaginer ma lettre à Louis-Auguste en train de voyager à travers l'empire, jusqu'en France. Eh bien, devinez où elle est allée ? Directement chez maman. Celle-ci m'a fait appeler ce matin pour parler du grand bal d'octobre. La nouvelle poupée, portant ma toilette de bal, est arrivée. Elle m'a laissée la regarder tout à mon aise puis, comme si de rien n'était, elle m'a glissé :

– Oh, ma chère, voici la lettre que vous avez écrite à Louis-Auguste. J'y ai apporté quelques corrections. Si vous prenez la peine de la recopier, nous l'enverrons par le prochain courrier pour Versailles.

J'en suis restée abasourdie. Bouche bée. Elle m'a dévisagée avant d'ajouter :

– Marie-Antoinette, voici une grimace tout à fait inélégante ; de surcroît, vous allez finir par avaler une mouche. Fermez la bouche, s'il vous plaît.

J'ai fermé la bouche et j'ai bégayé :

– Mais maman...

Elle m'a aussitôt coupé la parole :

– Je dois admettre, Marie-Antoinette, que vous avez fait beaucoup de progrès en écriture et que votre orthographe est parfaite. Vous avez fait un grand pas en avant avec l'abbé de Vermond.

J'ai pris la lettre et je suis sortie de la pièce en courant. La voici. Je viens de la coller.

À Son Altesse Royale, le dauphin Louis-Auguste

Cela fait longtemps que je désirais adresser à Votre Altesse, ainsi qu'à Sa Majesté votre grand-père, mes respects et mes meilleurs sentiments. Je suis si heureuse à l'idée que notre mariage soit désormais imminent et qu'il apporte à nos deux pays cette grande alliance pour la paix. C'est avec la plus extrême sincérité que je promets que j'honorerai notre union avec le plus grand respect et la plus grande affection.

J'attends avec impatience le jour où, côte à côte, nous nous agenouillerons pour échanger nos vœux. Transmettez, je vous prie, mes meilleures pensées à votre grand-père. Vous êtes tous deux constamment dans mes prières. Je reste votre très dévouée servante,

Archiduchesse Maria Antonia Josepha Johanna

Je ne sais pas si j'aurai le cœur de recopier ce texte. Ce n'est pas moi qui parle ici, c'est maman. Du pur maman. Et comme si cela ne suffisait pas, une longue note, jointe à la lettre, explique les changements qu'elle a faits. Je croyais qu'au moins elle aurait été contente de voir que j'avais signé Marie-Antoinette, puisqu'elle veut que désormais tout le monde ici m'appelle ainsi, mais non. Voici ce qu'elle a écrit à ce sujet : « Vous devez signer avec l'intégralité de votre nom de baptême. Vous n'êtes pas encore Marie-Antoinette ! Et nous tenons à leur rappeler constamment qui ils épousent, et ce que ce mariage implique. »

J'ai envie de lui répondre : « Bien sûr, maman. Je ne suis pas une personne. Je ne suis même pas encore une femme. Je suis une fille, et un empire par la même occasion. Les empires n'ont pas de sentiments. Ils n'ont ni centres d'intérêt, ni passe-temps comme l'équitation ou la danse. Les empires ne marchent pas pieds nus dans l'eau. Les empires ne se créent pas d'amitiés, seulement des alliances. »

11 octobre 1769

Je n'ai pas écrit pendant un mois. Je n'en avais pas le cœur, tant j'étais accablée. Mais le grand bal approche et Elisabeth est venue me réprimander. C'est donc pour elle que je tâche de faire bonne figure. Maman me demande presque chaque jour quand je pense recopier ma lettre. Mais je me contente de hausser les épaules. Ma mère n'a aucune patience avec les enfants boudeurs : elle a donc fait comme si je n'existais pas, a recopié ma lettre elle-même et l'a signée de mon nom. Son dédain a redoublé ma colère. Mais Elisabeth dit qu'il faut que je surmonte tout cela et que la vie continue. Aujourd'hui, je tâcherai, en essayant ma toilette de bal, de paraître joyeuse. La robe est magnifique. Tissée d'argent, avec des perles en forme de larmes qui tombent en cascade tout le long des volants. J'ai déjà eu plusieurs séances avec le coiffeur. Il prépare une création très spéciale, qui nécessitera au moins deux postiches complets et une douzaine de tresses. Des couturières travaillent aux fleurs de soie qui seront piquées dans mes cheveux.

14 octobre 1769

Cela fait un mois que maman a écrit la prétendue lettre de moi au dauphin, mais aucun portrait n'est encore arrivé. L'abbé de Vermond m'assure que le dauphin est, selon ses termes : « d'agréable tournure ». Je me demande ce que cela peut bien vouloir dire. Je crois que s'il était beau, je veux dire, vraiment beau, mon précepteur me l'aurait dit. Je ne connais pas d'hommes ou de jeunes hommes dont je pourrais dire, sans hésitation aucune, qu'ils sont beaux. Attendez ! Si, Johan, le sous-gardien de la ménagerie à Schönbrunn. Lui, je le trouve beau. Et pourtant... peut-on être beau quand on est de si basse extraction ? Cela me paraît impossible. Mais c'est une question intéressante.

17 octobre 1769

Le grand bal est dans quatre jours. Une importante délégation française est attendue. N'espère pas que j'écrive à nouveau avant la fin de la réception. Entre les séances de coiffure et les derniers essayages, j'aurai trop à faire, d'autant que maman veut que je lise avec elle tout un dossier de nouvelles informations sur l'étiquette, qui vient d'arriver de Versailles. Et puis, je vois souvent mon confesseur. (Oui, cher journal, je dois dire un nombre incalculable de prières pour que tout se passe bien, et pas seulement le bal.) Au moins trois fois pour jour, je dois me rendre dans les appartements de maman et, si ce n'est pas le cas, je reçois des pages entières de conseils.

Toujours pas de portrait du dauphin.

23 octobre 1769

Comme c'est agréable de revenir vers toi, cher journal ! Je suis persuadée que tu resteras mon dernier refuge, mon dernier espace de liberté sur terre. Je suis assise à ma coiffeuse et j'écris. Cette nuit, le grand bal a eu lieu. J'ai renvoyé mes femmes de chambre. Je me déshabillerai moi-même. J'ai besoin d'être seule.

Il y avait ce soir plus de quatre mille personnes. Même si les invités gardaient, par respect, un peu de distance, je me suis sentie oppressée. Chacun voulait voir la future dauphine, la future reine de France. Dans la grande salle de bal, tous les yeux sans exception étaient rivés sur moi. Je n'ai jamais été très douée en mathématiques, mais je pense que cela fait beaucoup de milliers d'yeux, au moins huit mille si je ne me trompe pas dans ma multiplication !

C'était si étrange... J'avais l'impression qu'à travers mes vêtements, à travers ma peau même, on me disséquait jusqu'à l'os. J'ai commencé à trembler, puis une force nouvelle s'est mise à grandir en moi et j'ai pu circuler parmi les invités. C'était comme si, par magie, je savais exactement ce qu'il fallait dire, même si je ne connaissais personnellement que très peu de gens. Mais les mots me venaient naturellement : une remarque sur l'éventail d'une dame, un commentaire sur le temps magnifique, un mot par-ci, un mot par-là mais pas trop, bien entendu. Il ne faut jamais paraître trop familier, comme maman le dit toujours. Je me suis vite habituée à mon rôle. Plusieurs fois, j'ai entendu chuchoter le mot « majestueuse » alors que je passais en flottant. Oui, je flottais ! Les leçons de Noverre sont désormais et pour toujours inscrites jusque dans mes pieds.

Maintenant, je me regarde dans le miroir ovale et je ne reconnais plus la fille couverte de boue qui fendait l'espace sur son cheval, dans les bois, ni la fille aux pieds nus qui barbotait dans les bassins de Schönbrunn. Elle se dissout dans la brume des fontaines. Je suis devenue ce que maman attendait de moi. Majestueuse. Dauphine, et future reine. Peut-être que je suis majestueuse parce que je ne suis rien d'autre. Je me penche pour mieux voir mon image dans le miroir. C'est difficile, la perruque pèse cinq livres, et la robe elle-même est faite de vingt-deux toises de soie et de huit livres de perles. Mais je flotte. Je suis légère. Je suis devenue ce dont rêvait ma mère. Et les rêves ne pèsent rien.

24 octobre 1769

Maman m'a demandé, par un billet, de venir prendre mon chocolat du matin avec elle. C'est très rare : en général, maman signe des papiers et discute avec ses ministres pendant son premier repas. Elle est si habile qu'elle peut écrire tout en mangeant, sans jamais renverser une seule goutte de bouillie sur ses papiers.

Elle est satisfaite de mon maintien au bal. Elle a rayonné de joie pendant tout le temps que nous avons passé ensemble et a déclaré que j'avais bien appris mes leçons. Maintenant qu'elle a pris conscience que j'apprenais vite et bien, elle exige pour moi des leçons supplémentaires !

Bien sûr, cela peut paraître insensé à une personne normale, mais c'est tout à fait caractéristique de maman. Elle en ajoute et en rajoute, et en rajoute. Je ne sais même pas si les journées seront assez longues pour y caser tout ce qu'elle a prévu. Mais elle insiste, car le mariage doit avoir lieu dans six mois à peine. L'abbé de Vermond est censé augmenter d'une heure le temps consacré à l'histoire et à la civilisation françaises. Lulu doit ajouter deux heures à mes leçons d'étiquette. Je ne pratiquais les jeux de cartes qu'une fois par semaine, mais maman estime que deux séances ne seront pas de trop pour m'apprendre les subtilités de la cavagnole : elle a découvert que c'était le jeu préféré de Sophie, Victoire et Adélaïde, les filles de Louis XV.

Ce qui me plaît le plus, c'est que je vais aller à l'École espagnole d'équitation presque tous les jours. Maman veut que j'apprenne comment on monte à cheval en France. Pas en amazone ! C'est une façon de monter à califourchon, mais où l'on porte le poids plus en arrière. Ça, je vais adorer. Mais Dieu seul sait quand j'aurai le temps d'écrire sur tes pages, cher journal.

29 octobre 1769

C'est bientôt la Toussaint. Nous organisons toujours des jeux et des feux de joie. C'est très amusant. Mais maman a insisté pour que je n'y participe plus : elle dit que ce sont des jeux d'enfant. Je l'ai suppliée. J'ai demandé :

– Pourquoi ne pourrais-je pas être une enfant pendant deux jours encore ?

Le 2 novembre, j'aurai quatorze ans...

3 novembre 1769

Mon anniversaire est passé aussi vite qu'il est venu. Maman m'a offert un collier de diamants qui a appartenu à sa grand-mère Margarita Teresa d'Espagne, femme de l'empereur Leopold Ier. J'ai bien vu que Maria Luisa, la femme de mon frère Leopold, était vexée. Elle considère qu'il aurait dû lui revenir : après tout, doit-elle penser, elle porte par alliance le nom de Leopold. Je le lui cède bien volontiers. Pour vous dire la vérité, j'aurais préféré recevoir une lettre de Louis-Auguste pour mon anniversaire — mais rien n'est arrivé, absolument rien.

Plus tard

Tout à l'heure, je pensais à l'incompréhensible silence du dauphin : je n'ai toujours rien reçu de lui, ni lettre ni portrait, alors que c'est mon vœu le plus cher. Je me suis mise à pleurer, doucement. Tout à coup, Lulu est entrée dans ma chambre. Elle a vu que je n'allais pas bien. Je lui ai tout avoué. Elle m'a prise dans ses bras et m'a réconfortée avec des mots gentils. Puis, elle a changé de ton et m'a chuchoté :

– Antonia, j'ai un plan.

J'ai aussitôt cessé de pleurer.

Écoutez bien : Lulu connaît l'un des courriers de Versailles qui font les allers-retours mensuels. Si j'écris à Louis-Auguste, elle m'a assuré qu'elle pourrait glisser ma lettre dans la sacoche à l'insu de maman. Elle dit que le courrier lui doit une faveur... Perplexe, je lui ai demandé :

– Vraiment ?

Et elle a hoché la tête. Quand j'ai ajouté :

– Pourquoi ?

Elle m'a répondu :

– Cela ne vous regarde pas !

Puis elle m'a pincé le nez.

Je suis à nouveau heureuse. Demain, je reprendrai la lettre que maman avait réécrite mais, cette fois, quand je l'enverrai, ce sera dans ma version à moi.

8 novembre 1769

La lettre est partie ! Maman m'en aurait certainement déjà parlé si elle l'avait interceptée. Et Lulu me garantit qu'il n'en est rien. Il n'y a plus qu'à attendre.

9 novembre 1769

Les leçons d'équitation de maître Herr Francke me plaisent beaucoup. La méthode française est un peu différente de la nôtre. On est assis en arrière sur la selle, les jambes légèrement en avant dans les airs relevés, comme les courbettes et la croupade. J'adore monter dans le manège. C'est un endroit magnifique, très haut de plafond : la lumière entre à l'intérieur par les fenêtres en arche des galeries supérieures. Et puis, il y a des douzaines de chandeliers. Je chevauche mon cheval gris argent sous une averse de gouttes de soleil. Herr Francke est le plus gentil, le plus doux des hommes. J'adore l'entendre parler aux chevaux. Il murmure de douces paroles à leur oreille, tout en leur caressant le chanfrein. Et, quand il me parle, il me regarde droit dans les yeux et dit : « Adorable Archiduchesse » — il s'adresse toujours à moi comme cela : « Adorable Archiduchesse » puis il ajoute :

– Quand vous résistez sur les rênes pour ramener la tête de Cabriole vers l'intérieur, faites-le d'un mouvement ferme et soutenu. Jamais d'à-coup. C'est votre ami. Vous vous promenez avec un ami et vous le guidez le long d'un chemin merveilleux. Ce sont vos mains, bonnes, fermes et intelligentes, qui rendront le chemin merveilleux.

C'est ce que j'aime le plus dans ces leçons. Tout est à la fois très simple et, en même temps, très mystérieux.

Si vous faites un mouvement brusque avec les mains, le cheval va relever la tête et luttera contre vous. C'est comme s'il devinait votre pensée. Vous ne faites qu'un avec votre monture. Et Herr Francke arrive à traduire cette union dans le langage le plus simple et le plus délicieux. Si cela ne tenait qu'à moi, je prendrais des leçons d'équitation toute la journée, tous les jours, et j'abandonnerais la danse, le jeu ainsi que, sans hésiter, l'étiquette et l'histoire de France !

10 novembre 1769

Les jours où je ne vais pas au manège sont ennuyeux sauf, bien sûr, lorsque je pense au voyage de ma lettre à Louis-Auguste à travers l'Autriche. Je me demande si elle approche déjà de Munich ? Peut-être que, dans quelques jours, elle atteindra le Rhin. Ce sera palpitant, parce que, à partir de là, elle sera presque à la frontière française. Mais je ne veux pas trop y penser. Cela me rendrait folle.

13 novembre 1769

Hier matin, j'étais à peine levée quand j'ai reçu un message de maman. Il fallait que je me rende dans ses appartements pour me faire examiner par le dentiste royal. Cela m'a étonnée : mes dents sont tout à fait saines, du moins je le crois. Pas de caries, pas de dents fendues. Mais maman m'a expliqué qu'elle ne pouvait pas envoyer en France une mariée qui risquerait d'avoir par la suite des problèmes de dentition. Le dentiste m'a examinée et il a conclu que mes dents étaient presque parfaites. Lui et maman ont brièvement évoqué le fait d'en raboter une mais ont, grâce à Dieu, abandonné cette idée. Il a donné à l'apothicaire une recette pour faire disparaître la tache qui dépare l'une de mes dents du bas. Ma mère a approuvé et lui a demandé si ce serait chose faite d'ici le 17 mai. Je l'ai aussitôt interrogée : la date officielle du mariage était-elle fixée ? À quoi elle a répondu qu'en fait, je serai mariée en avril par procuration. C'est un mot que je n'avais encore jamais entendu. Cela signifie que quelqu'un représentera Louis-Auguste et répétera en son nom les vœux du mariage. Ce sera Ferdinand. J'imagine donc que cela n'est pas vraiment important si cette stupide petite tache jaune, à peine visible, n'a pas disparu d'ici avril, puisque Ferdinand n'est pas Louis : il me connaît et, de toute façon, ne s'intéresse pas à ma dentition. La propreté n'est pas exactement l'un de ses points forts.

Oh, juste ciel ! Un messager vient tout juste d'arriver des appartements de maman où ma présence est encore requise !

17 novembre 1769

Elisabeth m'a invitée à venir boire un chocolat dans ses appartements, ce soir après le souper. Nous avons passé un très agréable moment. Elle m'a encouragée à lui parler de mes leçons d'équitation. Je lui ai confié que Herr Francke, à mon avis, était un professeur merveilleux, et que j'aimerais monter plus de trois fois par semaine... Soudain, derrière le voile, une étincelle a brillé dans ses yeux.

– J'ai une idée, Antonia. Si vous faites exactement ce que je vous dis, vous pouvez être sûre que maman demandera à ce que vous preniez davantage de leçons d'équitation.

Elle m'a expliqué que je devais aller trouver notre mère pour lui faire comprendre à quel point l'équitation contribuait à mon éducation.

– Il faut que vous lui disiez, Antonia, que pendant ces leçons vous n'apprenez pas seulement beaucoup de choses sur les chevaux et sur la façon dont on les monte, mais aussi et surtout sur le pouvoir et la manière de gouverner, sur la manière de se contrôler, soi et les choses plus grandes que soi. Il faut que vous la persuadiez que cet art est une métaphore parfaite de l'art de régner et de gouverner.

Je lui ai demandé :

– Qu'est-ce qu'une métaphore, Elisabeth ?

Elle a eu l'air surprise de mon ignorance. Elle m'a

répondu que c'était une « figure du discours » dans laquelle une chose, une idée, est utilisée pour en expliquer une autre ; ainsi, l'art de gouverner s'explique par l'équitation, le fait de contrôler les chevaux et de les monter. S'agissait-il d'une espèce de substitution ? ai-je interrogé. Elle m'a répondu que cela y ressemblait, mais que ce n'était pas tout à fait la même chose. Alors j'ai demandé si c'était comme un mariage par procuration. Là, elle a froncé les sourcils et elle m'a dit : « Non » avec sécheresse. Je crois que je commence à comprendre.

20 novembre 1769

Notre petite ruse a réussi ! J'ai parlé à maman de mes leçons avec Herr Francke. Je lui ai expliqué que l'usage des rênes exigeait de la douceur et de la fermeté, et qu'il fallait apprendre à saisir le bon moment pour diriger le cheval, etc. À la fin de mon discours, elle a déclaré :

– Eh bien, Marie-Antoinette, je vois que vous apprenez davantage à cheval qu'à votre table de travail. Nous devrions vous faire prendre de plus nombreuses leçons d'équitation. Je vais immédiatement en parler à Herr Francke.

25 novembre 1769

Grâce à Dieu, je monte maintenant à cheval cinq fois par semaine. Si ce n'était pas le cas, je crois que je deviendrais folle. Chaque jour, de nouveaux courriers et de nouveaux diplomates arrivent de Versailles. Il me semble que, maintenant, ma lettre a dû arriver jusqu'à Louis-Auguste. Il me faut encore attendre, mais je ne sais pas combien de temps. Les fêtes de Noël approchent. Cela pourrait retarder sa réponse. Je vais en parler à Lulu.

27 novembre 1769

J'ai questionné Lulu : pensait-elle que je pouvais espérer pour bientôt une réponse de Louis-Auguste ? Elle a soupiré. Elle avait l'air ailleurs et m'a répondu, d'un ton sec, qu'elle l'ignorait.

– Mais au plus tôt ? ai-je insisté.

– Oh, je ne sais pas !

J'ai eu l'impression qu'elle perdait patience. Lulu qui est toujours si indulgente ! Je ne comprends pas.

Plus tard

Lulu est venue dans mes appartements pour me demander pardon d'avoir été si brusque avec moi ce matin. Elle m'a expliqué que je ne devais pas attendre de réponse à ma lettre avant Noël, mais elle pense que je peux raisonnablement en espérer une pour la fin de janvier. Puis elle a pris ma main, l'a serrée et a soupiré. Normalement, cela m'aurait fait plaisir. Elle était redevenue la bonne vieille Lulu, calme et raisonnable, mais je reste inquiète. Elle a beaucoup maigri et son visage s'est creusé. Je lui ai soudain demandé :

– Vous sentez-vous bien ?

Elle m'a souri, un sourire fragile et forcé — ce qui ne lui ressemble pas du tout. Puis elle s'est levée de son siège et a trouvé une excuse pour s'enfuir. Je me fais du souci.

30 novembre 1769

J'avais raison ! Lulu est souffrante. Une femme de chambre de son service a été envoyée pour me dire que, ce matin, elle ne me donnerait pas ma leçon. Nous devions commencer à étudier l'étiquette de la salle de jeu. Cela doit être extrêmement fastidieux. « Fastidieux » est un mot nouveau qu'Elisabeth m'a appris. Elle m'a expliqué que je disais « ennuyeux » trop souvent et que fastidieux était plus élégant, même si cela veut dire la même chose...

Si je n'étais pas si inquiète pour Lulu, je serais vraiment ravie ces jours-ci : pas de leçons d'étiquette et, de plus, l'abbé de Vermond est rentré en France pour les fêtes qui approchent, donc je n'ai plus que mes leçons d'équitation. Titi, ce matin, m'a rappelé qu'il fallait absolument que nous commencions à réfléchir à notre spectacle de Noël.

8 décembre 1769

Je ne comprends rien à la maladie de Lulu. Elle tousse, mais ce n'est ni une pneumonie ni une bronchite. Elle est très faible et souffre beaucoup de la hanche, à moins que ce ne soit de la jambe. Je n'en suis pas sûre, mais marcher la fait souffrir. On dirait qu'elle pâlit et maigrit chaque jour davantage. Quand je demande de quoi elle souffre, personne ne veut me répondre. Chacun évite le sujet, et moi, bien sûr, je n'ose pas le demander directement à Lulu. Mais je voudrais savoir. C'est affreux de la regarder se flétrir comme une fleur qui se fane et perd ses pétales... Lulu qui a toujours été si jolie ! Elle avait des yeux gris pétillants, avec une touche de vert, et maintenant ils sont ternes et sans vie. Les angles de son visage se sont accentués. Je n'arrive pas à comprendre. De quoi d'autre que la pneumonie, la petite vérole ou l'accouchement peut-on bien souffrir ?

10 décembre 1769

Je suis absolument furieuse contre maman. Je me suis finalement décidée à l'interroger et elle m'a menti, je le sais. Elle a fait comme si la maladie de ma gouvernante était sans importance, puis elle a dit cette chose affreuse :

– Lulu n'a été votre grande maîtresse que pendant deux ans. Je ne m'étais jamais rendu compte qu'elle comptait autant pour vous.

Comme s'il y avait quelque chose de mal à cela ! J'ai expliqué à l'abbé de Vermond que j'étais en rage contre maman. Je lui ai demandé ce qui n'allait pas. Il a eu l'air préoccupé et m'a dit de ne pas m'inquiéter, que maman cherchait, d'une certaine façon, à me protéger. Me protéger de quoi ?

On me traite comme une enfant et, en même temps, on attend de moi que je devienne une épouse dans moins de six mois ! Je ne comprends pas pourquoi on me place dans une telle situation. Et pourquoi remettre en question mon affection pour Lulu ? Je ne suis pas censée m'attacher à quelqu'un que je connais depuis « si peu de temps » — deux ans —, en revanche, il faut que j'épouse quelqu'un que je n'ai jamais vu ! Je ne sais même pas à quoi il ressemble. Dans un effort de volonté, j'ai désormais fermé mon esprit à tout ce qui touche à ma lettre. Je sais qu'elle est là-bas, mais je ne me torturerai plus pour savoir si, oui ou non, Louis-Auguste va choisir de me répondre.

Oh, je me sens à la fois si abattue et si fâchée ces jours-ci... L'abbé de Vermond voudrait que je pratique davantage le dessin et la peinture. En temps normal, j'adorerais ça. Ce serait une distraction, tellement plus agréable que les leçons d'étiquette et l'étude des interminables brochures qui viennent de Versailles mais, en ce moment, je n'ai pas le courage de dessiner. Pourtant, je crois que j'apprendrais par cœur, et sans protester, ces stupides brochures si je savais que Lulu allait mieux.

12 décembre 1769

Je suis un peu rassurée. Je suis allée rendre visite à Lulu, qui avait l'air d'aller beaucoup mieux. Elle avait un peu de couleur aux joues et une petite étincelle dans les yeux et voulait tout savoir de mes occupations. Je lui ai répondu que je ne faisais pas grand-chose, dans la mesure où elle avait été trop malade pour m'enseigner les règles de l'étiquette. Puis elle m'a grondée avec douceur : elle avait entendu dire que je ne voulais pas travailler mon dessin. Elle a ajouté qu'elle ne comprenait pas, puisque j'avais déjà fait tant de progrès à l'écrit. Je crois, cher journal, que si les gens pouvaient te lire, ils seraient vraiment stupéfaits de mes progrès. C'est incroyable de voir l'évolution de mon écriture, par rapport aux premières pages ! La forme de mes lettres est plus affirmée, et les mots me viennent aisément. J'avais emmené Schnitzel avec moi, car je sais que Lulu l'aime beaucoup. Il est monté directement sur son lit et s'est jeté sur ses genoux. Je l'ai vue grimacer. Sa hanche doit encore lui faire mal.

Plus tard

Lulu a eu une idée merveilleuse ! Elle m'a suggéré de demander à l'abbé de Vermond si, au lieu des traditionnels paniers de fruits qu'il me demande de peindre, je ne pouvais pas plutôt m'exercer à dessiner les chevaux à l'école d'équitation. N'est-ce pas une idée de génie ?

13 décembre 1769

Ce matin, j'ai commencé à dessiner dans les écuries. Je me suis dit qu'il serait plus simple de commencer par me concentrer sur la tête d'un cheval en train de manger son avoine. Dessiner un cheval en train d'exécuter une figure de haute école serait trop difficile. J'ai décidé de me lancer avec Mars, l'étalon. Il a une si grande et si noble tête...

14 décembre 1769

Dessiner Mars est l'une des choses les plus stimulantes que j'ai jamais faites ! Cela m'absorbe complètement.

17 décembre 1769

Mes dessins de Mars s'améliorent. Titi, Ferdinand et Max se plaignent amèrement de l'absence de neige. D'habitude, à cette époque de l'année, il y en a assez pour faire du traîneau. Je ne m'en soucie même pas, parce que j'ai commencé à faire un portrait en pied de l'étalon. Après ma leçon, je reste deux heures à l'école pour regarder les instructeurs l'entraîner aux piliers. J'aimerais arriver à le représenter en mouvement.

20 décembre 1769

Maman a demandé que l'on fasse venir de la neige des montagnes pour que nous puissions faire du traîneau. Titi, Ferdinand et Max sont aux anges.

Noël approche. Cette année, notre spectacle sera d'une grande simplicité. Presque uniquement des chansons, sauf un tableau vivant extrait de la Nativité. Elisabeth joue la Vierge Marie. Ferdinand fait Joseph. Maman, mon frère Joseph et moi sommes les Rois mages. Maman considère que le fait qu'elle soit une impératrice ou que je devienne bientôt la dauphine de France n'a pas d'importance. « Les souverains sont les souverains », dit-elle. Ce ne sont pas les seules libertés qu'elle prend avec les Évangiles. Schnitzy et d'autres chiens de la cour ont été transformés en moutons, grâce à de petits manteaux floconneux que les tailleurs ont créés spécialement pour eux.

21 décembre 1769

Herr Francke a déclaré que mes séances de dessin m'ont fait faire des progrès en équitation. Je fais le piaffer « parfaitement », selon ses propres termes. Le cheval n'avance pas d'un pouce, mais s'établit dans un trot cadencé et relevé, sans reculer ni se traverser. C'est un air noble et très apprécié en France et en Espagne. On dirait que le fait de dessiner m'a permis de fixer dans mon esprit l'image des pieds du cheval, et m'a aussi appris à m'asseoir correctement et à donner au cheval les bonnes indications au bon rythme. C'est très mystérieux...

26 décembre 1769

Lulu a participé à nos célébrations de Noël, mais même si j'étais très heureuse de la voir, je suis encore sous le choc. Sa robe pendait comme les haillons qui habillent les épouvantails, dans les champs, près de Schönbrunn. Son visage paraît creux et, c'est peut-être le pire de tout, elle ne peut plus marcher sans s'aider d'une canne. C'est comme si, en une nuit, elle s'était transformée en vieille dame. Elle s'est tassée, et malgré les postiches que le coiffeur a fixés sur sa tête, je voyais bien que son crâne paraissait lui aussi plus petit, comme si ses os avaient fondu sous la carapace de faux cheveux. Elle avait mis trop de rouge pour tenter de paraître la même. Mais, derrière ce masque, transparaissait une étrangère que j'ai failli ne pas reconnaître. Elle est restée assise durant toute la fête, puis pendant le tableau de la Nativité de l'Évangile selon saint Luc. Elle a même applaudi avec enjouement quand Schnitzy a fait une sortie en remuant la queue et qu'il s'est précipité jusqu'à la mangeoire pour lécher la poupée qui représentait l'Enfant Jésus.

Nous avons tous mangé trop de gâteau de Noël. C'était le meilleur et le plus beau gâteau que j'aie jamais vu au palais. Le chef a dû penser à moi : c'était une scène de manège. Une douzaine de chevaux en massepain surmontaient un merveilleux gâteau au chocolat. Le chef s'est vraiment surpassé et maman l'a fait appeler pour que nous puissions l'applaudir, et nous resservir ensuite ! Bien sûr, nous avions déjà mangé de l'oie et du rôti de bœuf grillé — il faut toujours à maman du rôti de bœuf grillé sur une table de fête —, du chou à la vapeur et des beignets au fromage. Ce sont les beignets qu'elle préfère par-dessus tout. Il y a eu les traditionnels douze plats pour les douze nuits des fêtes de Noël. Nous rejouerons notre spectacle pour l'Épiphanie, ou douzième nuit, la dernière. Et le pâtissier fera un nouveau gâteau. Je ne sais pas comment il arrivera à faire mieux !

1er janvier 1770

Nous avons reçu nos étrennes ce matin. Je dois avouer que j'espérais une lettre de Louis-Auguste. Quel cadeau parfait cela aurait été ! Ou encore mieux, un portrait... J'essaie d'imaginer à quoi il ressemble, mais je n'y parviens pas.

Je trouve que c'est Titi qui a eu le plus beau de tous les cadeaux. C'est un théâtre miniature dont on peut faire bouger certaines parties et dont les décors illustrent des scènes de l'Ancien Testament. Celle que nous avons préférée, bien sûr, c'est le Déluge et l'arche de Noé, mais la plus impressionnante est celle de Moïse qui descend de la montagne avec les dix commandements. Maman ne s'en lasse pas : elle fait tourner si souvent la manivelle qui actionne Moïse que Titi et moi avons plaisanté en disant qu'il finirait par se fatiguer et qu'il laisserait tomber les tables de la Loi ! Maman nous a lancé un regard noir et nous a traitées d'*anseris inscitiae*, ce qui veut dire « petites oies ignorantes » en latin. Parfois, elle nous appelle aussi *deridiculi soricis*, « ridicule souris »...

Alors que nous nous amusions beaucoup avec les différents décors, on m'a fait appeler : l'ambassadeur français, Durfort, venait d'arriver. Je n'avais vraiment pas envie de consacrer du temps à le recevoir, mais je me suis dit qu'il aimerait peut-être voir le théâtre mécanique. Je lui ai dit :

– Venez avec moi, et je vous montrerai quelque chose que vous n'avez peut-être encore jamais vu !

Je l'ai conduit droit à la salle de jeux de Titi et je crois que le petit théâtre l'a enchanté.

Mme Bertin a envoyé les poupées de la mode du printemps prochain. J'ai du mal à imaginer que le printemps finira par arriver. Il y a tellement de neige ici ! Et, quand le printemps sera là, moi, je serai en France, à glisser sur les parquets de Versailles comme on m'a appris à le faire. Peut-être que je porterai alors la robe de la petite poupée qui est assise en face de moi. C'est une toilette de dentelle de Binche, arachnéenne et parsemée de motifs de flocons de neige. J'aime bien l'idée de la neige au printemps – mais sur du tissu, bien entendu, pas dans le ciel.

7 janvier 1770

Le pâtissier s'est surpassé. Le gâteau de la douzième nuit était composé non pas d'une, mais de plusieurs répliques de différentes parties de Versailles ! Il y avait la galerie des Glaces, avec des miroirs faits de sucre argenté fondu. Il y avait l'escalier des Ambassadeurs avec une immense volée de marches en chocolat conduisant à la réplique en sucre d'une fontaine dans laquelle deux dieux grecs s'ébattaient. Les murs étaient vraiment très bons, tout en pâte de pistache. Mais ce que j'ai préféré, ce sont les jardins. Dans l'Orangerie, de petits orangers portaient des gouttes de sucre en forme de fruits. Et puis, ce que j'ai aimé par-dessus tout, les vergers où le feuillage des arbres était fait de caramel brûlé et travaillé pour donner l'impression d'un jour d'automne, et le lac connu sous le nom des Bains d'Apollon, fait de crème anglaise ; une fontaine de givre royal s'y déversait. Je crois que maman envisage de décorer le chef pâtissier en reconnaissance de son talent.

8 janvier 1770

Lulu souffre de nouveau. Je crois que les festivités de Noël lui ont demandé trop d'efforts. Elle est alitée, et très faible. Maman a envoyé ses deux médecins pour s'occuper d'elle. Pendant ce temps, de nouvelles dépêches arrivent chaque jour de Versailles, et toutes concernent le mariage.

12 janvier 1770

Maman m'a fait demander aujourd'hui : elle semblait en colère et lançait des regards furieux à un ministre auquel elle s'adressait sur un ton très sec :

– Comment cela, le nom de Marie-Antoinette n'est pas mentionné en premier, pas même sur le document du mariage par procuration ?

Comme c'est ridicule ! Elle était tellement prise par les détails de la dernière dépêche de Versailles qu'elle en a oublié que j'étais là ; elle est sortie de la pièce en coup de vent, sans m'honorer d'un seul regard.

Qu'est-ce que cela peut bien me faire que mon nom soit placé en premier ou non ? Quelle importance peut bien avoir ce détail d'étiquette, alors que Louis-Auguste n'a pas encore daigné reconnaître que j'existe ? Toujours pas de réponse à ma lettre… j'essaie de ne pas y penser.

14 janvier 1770

Chaque jour apporte un nouveau motif de querelle. Toujours à propos de Versailles, de l'étiquette, du protocole, des conduites à tenir et de tous les rituels d'un grand mariage. Il est même étonnant que les membres de familles royales parviennent à se marier. Voici une liste des causes de disputes de ces derniers temps :

– Quel nom doit figurer en premier sur le contrat de mariage : celui de maman, impératrice d'Autriche (qui m'offre en mariage), ou celui de Louis, roi de France et grand-père du marié ?

– Qui doit m'accompagner jusqu'en France ? (Bien entendu, personne ne me demandera jamais qui je choisirais !)

– Combien de chevaliers, de dames de compagnie, de médecins, de secrétaires et de lingères doivent faire partie de ma suite ?

– Dans quel ordre doivent se placer les nobles autrichiens et français qui m'escorteront ?

– Quelle sorte de voitures doit-on choisir, et combien en faut-il ?

Apparemment, le roi Louis fait construire deux magnifiques berlines de voyage, mais l'un des grands débats du moment est de savoir qui d'autre que moi doit y prendre place, dans la mesure où j'aurai du mal, à moi seule, à occuper les deux.

Tout cela paraît d'une bêtise extrême, alors que tout ce que je désire, c'est un portrait de Louis-Auguste. Bien sûr, on ne me dérange avec aucune de ces questions. Le seul moment où l'on me demande mon avis, c'est pour les poupées de mode. Est-ce que je voudrais telle ou telle robe, dans tel ou tel tissu, et dans quelle couleur ? Les Français utilisent de beaux tissus et ont toujours des noms très amusants pour désigner leur couleur. En ce moment, une autre poupée trône sur mon bureau, près de la fenêtre. Elle porte une fine robe d'un blanc doux et délicat. Il y a un gris que j'aime beaucoup, que l'on nomme « tête de puce », ainsi qu'un vert vif, qui s'appelle, tenez-vous bien : « Grenouille en mal d'amour ». Je ne plaisante pas.

19 janvier 1770

Vous souvenez-vous de la poupée dont je parlais il y a quelques jours ? Eh bien, il lui est arrivé une chose terrible. Quand je me suis levée ce matin, j'ai vu qu'elle était tombée. Sa tête de porcelaine était réduite en petits morceaux et l'un de ses bras pendait au bout de sa ficelle, décroché. Le vent a dû entrer par le volet mal fermé et la faire tomber. Pauvre chérie ! Elle faisait tellement peine à voir, toute cassée et démantibulée... J'en ai eu des frissons dans le dos. Je crois que je ne commanderai pas la robe de dentelle de Binche...

20 janvier 1770

Je n'arrive pas à y croire : Titi souffre d'une maladie mortelle, une pneumonie aiguë. Heureusement que ce n'est pas la petite vérole car, sinon, je n'aurais pas le droit de l'approcher. Je peux au moins me rendre dans sa chambre et lui tenir la main. Mon frère Joseph est là constamment. Il est hors de lui, car Titi est tout le portrait de sa première femme, Isabella. Elle est tout ce qui lui reste de sa bien-aimée. Je prie Dieu qu'elle ne meure pas. Cher Seigneur, ne prenez pas cette enfant qui, malgré notre différence d'âge, est ma plus chère compagne !

23 janvier 1770

Titi nous a quittés ce matin. Je suis transie. Je n'arrive pas à pleurer. Comme si mes larmes étaient de l'eau dans un torrent glacé. Quand je regarde dehors, je vois un monde gelé où l'eau des fontaines est figée en vagues de glace et les fenêtres bordées de stalactites. Quelque chose en moi s'est figé aussi.

Plus tard

Je suis allée dans la salle de jeux de Titi et j'ai regardé le magnifique théâtre mécanique. J'ai tourné la manivelle jusqu'à ce que son tableau préféré de l'Ancien Testament apparaisse sur la petite scène – l'arche de Noé avec les animaux qui entrent deux par deux. Je prie pour que Dieu s'occupe avec autant d'amour et de soin de ma chère Titi, que Noé de ces animaux. J'ai donné des instructions pour que la scène du théâtre ne soit plus jamais changée.

25 janvier 1770

Deux jours sans Titi. Je ne sais pas si j'arriverai jamais à accepter sa mort. Chaque matin, pendant je ne sais combien d'années, nous avons pris notre chocolat ensemble. Chaque fois que le premier flocon de neige tombait, elle accourait. « Est-ce qu'il y en aura assez pour faire du traîneau, Toni ? Est-ce qu'on peut convaincre grand-maman d'en faire apporter de la montagne ? » Que vais-je devenir sans ma petite nièce ? Elle était pour moi comme une ombre menue et charmante qui me suivait à travers les palais, tout au long de mes journées, qui entrait et sortait pendant mes leçons de danse et de musique. Elle me rappelait tous mes meilleurs souvenirs d'enfance, cette période d'avant mes fiançailles.

Elle me faisait espérer que je pourrais toujours garder en moi l'enfant que j'étais, une enfant qui faisait du traîneau, jouait des tours, une fillette têtue qui voulait faire la loi, mais ce n'était pas grave puisque nous n'étions encore que des enfants — et non pas des épouses ou des souveraines.

Est-ce que j'ai déjà dit que même Schnitzy a compris qu'il était arrivé quelque chose à Titi ? Ce matin, il a filé dans sa salle de jeux, puis il s'est mis à la chercher. Ensuite, il est monté sur mes genoux en pleurant. Il y avait quelque chose de presque humain dans ses petits cris.

Maman est passée, il y a quelques minutes, avec une sacoche pleine de papiers de Versailles. Elle devait discuter du mariage avec le comte Mercy et voulait que je l'accompagne. J'ai marmonné :

– C'est injuste.

Elle a commencé à me rappeler à mes devoirs et à mes responsabilités, mais je l'ai interrompue :

– Non, maman, je parlais de la mort de Titi. C'est injuste.

Elle m'a répondu :

– Balivernes. Ce n'était qu'une enfant. Si une enfant vit jusqu'à l'âge de douze ans, c'est un miracle. Si elle meurt entre l'âge de douze ans, son mariage et ses accouchements, alors c'est injuste.

J'ai compris à cet instant que l'impératrice et moi avions deux conceptions très différentes de l'enfance.

Maman pense que les enfants, qui meurent si souvent en bas âge, sont quantité négligeable. Et moi, je pense exactement le contraire. Parce que les enfants sont si vulnérables, ils sont ce qu'il y a de plus précieux sur terre et nous rappellent constamment la fragilité de la vie.

Nous n'observerons pas même de période de deuil pour la mort de Titi. Il n'est pas d'usage en Autriche, comme le dit maman, de « s'arrêter » aux enfants.

7 février 1770

Je n'ai pas envie d'écrire ce matin. Il a beaucoup neigé. Les jours de neige, Titi me manque encore plus.

10 février 1770

Je ne suis pas allée à ma leçon d'équitation aujourd'hui. Dans un billet, maman me reproche avec sévérité mes démonstrations de chagrin, qu'elle juge excessives. J'étais tellement en colère que j'ai fait un portrait très laid de l'impératrice, avec une barbe et de la moustache.

11 février 1770

J'ai déchiré le portrait de maman, puis je suis allée voir le confesseur pour lui avouer ce que j'avais fait. Il m'a donné un rosaire à réciter. Je pensais qu'il me conduirait au moins vers les sculptures des stations de la Croix pour que j'y dise une prière ou deux.

20 février 1770

Aujourd'hui, je suis allée rendre visite à Lulu. Elle m'a demandé comment avançaient les préparatifs du mariage. Je crois qu'elle voulait surtout savoir si j'avais eu des nouvelles de Louis-Auguste, mais je n'ai pas eu envie de lui dire la vérité à ce sujet. Alors je lui ai narré les chamailleries entre les deux cours. Elle a soupiré :

– Les Français sont bizarres.

Je n'ai pas su quoi répondre. J'ai voulu demander : « Pourquoi est-ce que l'on m'envoie chez eux, alors ? Pourquoi faut-il que j'apprenne toutes ces règles stupides, comment jouer aux cartes, comment marcher, manger, parler ? Pourquoi m'envoyez-vous dans ce pays étrange, où même mon futur mari n'a pas du tout l'air de s'intéresser à moi, et ne prend pas le temps de m'écrire ? »

Et, à l'instant où toutes ces mauvaises pensées me traversaient l'esprit, Lulu m'a annoncé :

– Savez-vous, ma chère, qu'ils veulent la couper ?

Ses paroles m'ont prise au dépourvu.

– Couper quoi ? me suis-je enquise. De quoi parlez-vous ?

Le visage de ma gouvernante s'est assombri ; on aurait dit que ses yeux se noyaient dans une mer de larmes.

– Vous ne savez pas, Antonia ? On ne vous l'a pas dit ?

– Dit quoi ?

Une terrible angoisse m'a envahie. La jambe de Lulu est malade, et les chirurgiens de la cour veulent la couper — voilà ce qu'elle m'a annoncé. Je cherchais ma respiration. Ils pensent que l'amputer pourrait lui sauver la vie. Mais elle a très peur de la douleur. Ils peuvent lui donner à boire du vin et des alcools forts pour lui faire perdre connaissance, mais elle sentira quand même la lame tailler dans sa chair...

Je suffoquais. Cela me paraissait tout à fait impossible. J'ai toujours cru que les ennemis venaient de l'extérieur, comme Frédéric de Prusse, le Monstre... mais cette chose horrible, qui grandit dans la jambe de Lulu... Oh, je ne peux y songer plus longtemps ! Qu'est-ce que je ferais, moi, à sa place ? Est-ce que j'aurais assez de courage pour affronter la douleur et, si c'était le cas, pourrais-je supporter l'idée d'être ainsi mutilée ?

23 février 1770

Lulu est morte la nuit dernière. On ne me l'a annoncé que ce matin, mais je le savais. Quelques minutes après minuit, Schnitzel, qui dort au pied de mon lit, a commencé à couiner. Cela m'a réveillée. Tout était noir. Les dernières bougies s'étaient éteintes, et seul un rayon de lune perçait à travers les volets et tombait comme un tesson de glace sur le sol. Quelque chose m'a attirée à la fenêtre. Je suis descendue pieds nus de mon lit et je me suis mise à courir sur le parquet froid. J'ai regardé dehors. La lune dessinait un fin croissant dans le ciel. C'était une lune trop petite pour donner tant de lumière. Rien qu'un petit bout de lune mais, à ce moment précis, j'ai su que Lulu n'était plus de ce monde. J'ai murmuré :

– Bon voyage !

Et je pouvais presque la voir danser à travers la nuit, ses jambes si jolies tout à fait guéries, lancées dans une danse écossaise peut-être, là-haut, dans les étoiles. Oh oui, je vais l'imaginer caracolant sur le dos de la Grande Ourse, glissant jusqu'aux constellations du Cygne, de l'Archer et toutes les autres figures formées par les étoiles de cette nuit d'hiver... S'il y a de la musique au paradis, Lulu saura la trouver, et les anges joueront mieux une fois qu'elle y sera.

24 février 1770

Maman a décrété pour Lulu une période de deuil de deux semaines. Elle prendra fin juste avant le bal d'hiver, auquel je ne serai pas obligée d'assister. Je lui en suis reconnaissante. Maman ne cesse de répéter que nous ne devons pas nous arrêter de vivre, mais je sais bien qu'elle est triste : elle était très attachée à Lulu. Que cela soit bien ou non, je garderai dans mon cœur une place pour ces deux êtres chers disparus dans l'espace d'un mois et j'emporterai leur souvenir avec moi jusque dans la tombe.

1er mars 1770

Cela fait à peine une semaine que Lulu est morte, et ma mère lui a déjà trouvé une remplaçante. Au retour de ma leçon d'équitation, la comtesse Krautzinger m'attendait dans mes appartements. Maman aurait tout de même pu me prévenir ! Cela fait un choc de rentrer et de trouver quelqu'un assis dans son fauteuil préféré, près du feu, intimant l'ordre aux femmes de chambre de « se dépêcher, d'aller chercher encore du thé, d'apporter plus de petit bois, et de trouver enfin cette bouteille de bordeaux. Quoi, pas de bordeaux dans les appartements de l'archiduchesse ? ».

– Je n'aime pas le bordeaux.

Tels furent mes premiers mots à la comtesse. Et les suivants, je n'ai pas eu à les prononcer. Mon silence était assez éloquent. Comment osez-vous entrer dans mes appartements, vous asseoir dans mon fauteuil, donner des ordres à mes femmes de chambre et exiger du bordeaux ?

Quelque chose d'étrange m'est alors arrivé. Je me suis sentie grandir de plusieurs pouces en l'espace de quelques secondes. Le timbre de ma voix a changé. Mes yeux, je le sais, sont devenus d'un bleu glacial. C'est pendant ces secondes fugitives que je suis devenue une reine. Et la comtesse l'a bien compris. Elle s'est levée comme mue par un ressort et a plongé dans une profonde révérence.

– Je suis votre nouvelle gouvernante — grande maîtresse, madame, a-t-elle murmuré. J'ai répliqué :

– Apparemment, d'autres que moi ont beaucoup à apprendre.

Brunhilda, l'une de mes femmes, en a presque laissé tomber le plateau qu'elle portait. J'ai congédié la comtesse, puis je me suis assise pour rédiger, de ma plus belle écriture, un billet à maman.

Ma chère Majesté,

J'ai été effarée de trouver dans mes appartements la comtesse Krautzinger. Elle a fait chez moi comme chez elle, s'asseyant dans mon fauteuil préféré, donnant des ordres à mes femmes de chambre de la plus offensante façon. Je regrette que vous n'ayez pas jugé bon de m'informer que la comtesse devait succéder à ma chère Lulu, et je suis encore plus perturbée par le fait que vous l'ayez jugée digne de devenir grande maîtresse, si l'on prend en compte son arrogance et son absence totale de sensibilité. Je ne crois pas que j'apprendrai beaucoup sous son gouvernement : je pense qu'elle aura bien plus à apprendre de moi.

Avec mes sentiments les plus respectueux,
Votre fille
Marie-Antoinette

2 mars 1770

J'ai reçu aujourd'hui une réponse de maman — des plus étonnantes. Je la colle ici dans mon journal.

Ma fille, bravo !

Vous avez réussi l'épreuve la plus importante à laquelle je vous ai soumise jusqu'à ce jour ; en fait, vous avez même dépassé mes attentes. Kraut est une simulatrice et une hypocrite. Vous l'avez tout à fait percée à jour, et si rapidement ! Son arrogance sert d'armure à un caractère faible. Mais étudiez-la, car il y en aura beaucoup comme elle à Versailles. J'ai fait les arrangements nécessaires pour que vous appreniez à jouer et à parier aux cartes avec elle. Elle ne vous dira pas comment elle triche, mais cela vous apparaîtra très vite. Vous saurez ainsi détecter ce comportement chez d'autres pour les exclure de votre table de jeu. Et sa verrue n'est-elle pas des plus intéressantes ?

Bien sincèrement, votre mère dévouée, Maria Theresa de Habsbourg, impératrice du Saint Empire romain, épouse de votre regretté père bien-aimé, l'empereur François de Lorraine.

P.S. Votre écriture s'est très nettement améliorée et votre orthographe est parfaite !

4 mars 1770

Je ne comprends pas comment j'ai pu ne pas voir la verrue sur le nez de la comtesse (qui sera désormais pour moi la comtesse Vieille Krout) ! J'étais si ulcérée par sa conduite la première fois que je l'ai rencontrée que je n'y ai absolument pas prêté attention. Et pourtant, elle est bien là, cette excroissance — grosse, rouge, avec des poils qui dépassent. On dirait qu'elle a une vie propre, surtout quand nous jouons aux cartes. Je crois qu'elle remue quand la comtesse a un bon jeu. C'est très dérangeant, et je crois que j'aurai d'autant plus de mal à deviner comment elle triche. Bien sûr, je pense qu'elle m'a laissée gagner. Il faut dire que nous ne jouons pas d'argent pour l'instant. Peut-être devrais-je suggérer que l'on augmente les enjeux pour me concentrer ensuite sur ses méthodes.

8 mars 1770

J'ai proposé, il y a deux jours, d'augmenter les enjeux. La comtesse a continué à me laisser gagner mais, aujourd'hui, elle a remporté toutes les parties. Maman serait choquée d'apprendre combien d'argent j'ai perdu. Mais j'ai l'intention de continuer, car je suis sûre que je vais découvrir ses trucs. J'ai raconté à Elisabeth ce que maman m'avait dit, et pourquoi je pensais que la comtesse s'était mise à tricher. Elle a accepté de jouer et de me soutenir financièrement si j'en avais besoin. Elle est intriguée. Ma sœur a toujours aimé les devinettes et les énigmes. C'est pour cela que cette histoire la fascine et lui donne envie de relever le défi.

12 mars 1770

Ni Elisabeth ni moi n'avons encore trouvé comment la Vieille Krout triche. Cette femme est rusée : elle nous laisse gagner juste assez pour que nous continuions à jouer sans nous lasser. Elisabeth a compris son système. Elle commence par nous concéder quelques manches, puis elle se met à gagner. Si notre intérêt faiblit, elle nous laisse à nouveau la main. Notre intérêt est toujours en éveil, mais nous avons décidé avec Elisabeth de jouer la comédie de l'ennui, afin de voir si cette attitude fait vraiment partie de son stratagème. Mais aujourd'hui l'abbé de Vermond s'est joint à nous et il a posé d'entrée une pièce d'or sur la table. Vous auriez dû voir les yeux de la Vieille Krout briller ! Inutile de vous dire que la comtesse a changé de tactique et qu'elle a gagné dès la première donne.

17 mars 1770

Ma vie, ces jours-ci, semble se résumer à la table de jeu et à l'école d'équitation. Je commence à en avoir par-dessus la tête de jouer aux cartes ! Ni Elisabeth ni moi n'arrivons à trouver comment la Vieille Krout s'y prend pour tricher. Quand nous sommes assises à la table de jeu, il semble que tout n'est plus que tromperie et mensonge. J'ai même commencé à soupçonner l'abbé de Vermond de tricher de temps en temps. Le pire, dans tout cela, c'est que tout le monde se met à soupçonner tout le monde. L'air est pesant, les appartements étouffants. Les grains de poussière se déplacent en lents menuets dans les rayons viciés du soleil. Mais à l'école d'équitation, c'est un tout autre monde. L'air y est vif et pur, les chandeliers étincellent. Les chevaux sont si vrais...

18 mars 1770

J'ai surpris la Vieille Krout au moment où elle s'apprêtait à frapper Schnitzy. J'étais outrée ! J'ai failli lui crier : « Non seulement vous trichez au jeu, mais vous maltraitez aussi les animaux ! » Je ne l'ai pas fait, car nous tenons à apprendre comment elle triche. En revanche, je l'ai clairement prévenue que, si jamais je la surprenais encore à lever la main sur Schnitzy, ou sur n'importe lequel des animaux de la cour, j'irais directement trouver maman. Tout le monde sait que l'impératrice ne supporte pas les gens qui sont cruels envers les animaux. La Vieille Krout a blêmi. Son visage était pétrifié d'angoisse.

20 mars 1770

Je ne me sens pas bien aujourd'hui. J'ai la gorge qui pique. La Hofburg est infestée de courtisans de Versailles. On débat des derniers préparatifs. Les dates sont fixées : mon mariage par procuration aura lieu le 19 avril. Deux jours avant, le 17 avril, je devrai signer les actes de renonciation, par lesquels je jure de ne jamais réclamer le trône du Saint Empire romain.

Les Français se parfument beaucoup trop. On les sent arriver à des lieues ! Et mon frère Joseph, qui est sans conteste un jeune homme très sensé, et ne ressemble à aucun de ces élégants, m'a assuré que l'un de leurs « maudits grains de beauté » était tombé dans son assiette de potage ! Comment cela a pu arriver, je n'en sais rien. Mais les femmes ne sont pas les seules à arborer ces petites mouches sombres, de velours ou de taffetas gommé, au coin de la bouche ou en haut de leurs pommettes. Les hommes aussi ! J'espère que Louis-Auguste ne sacrifie pas à cette mode ridicule.

21 mars 1770

Grosse fièvre. Trop malade pour jouer aux cartes ou monter à cheval.

22 mars 1770

Elisabeth est venue me voir aujourd'hui, et j'ai cru qu'elle portait aussi cet horrible parfum français.

– Non, m'a-t-elle répondu, mais des Français rôdent dans le couloir, devant vos appartements.

Je me suis inquiétée.

– Je vais mourir ? C'est pour cela ? lui ai-je demandé en pleurant.

Elle m'a rassurée et expliqué que tout ce qui touche à la santé et aux fonctions du corps rend les Français fous d'angoisse.

– Ils parlent, a-t-elle ajouté, sans cesse de leur foie.

18 mars 1770

Elisabeth a trouvé comment la comtesse triche ! À la main droite, celle-ci porte une grosse émeraude. Il semblerait qu'elle cache dans la monture une petite épingle, à moins que l'or de la monture ne soit lui-même taillé en pointe, ce qui lui permet ainsi de marquer les cartes. Ma sœur assure que la comtesse sait exactement comment les piquer, pour qu'il n'y ait qu'une légère imperfection dans le dessin, au dos des cartes. Seul un œil perçant peut la repérer, mais la Vieille Krout a des yeux perçants !

26 mars 1770

Encore plus malade aujourd'hui. Le médecin est venu deux fois, et maman a donné l'ordre à tous les courtisans qui rôdaient devant ma porte de quitter la place. Je ne peux plus écrire : j'ai trop mal à la tête.

31 mars 1770

Mieux enfin, mais maman insiste pour que je reste au lit. Demain, les premières délégations officielles de Vienne viendront me congratuler et elle veut que j'aie l'air reposé et en bonne santé. Je n'ai le droit de me lever que pour essayer la robe dans laquelle je dois les recevoir. Herr Francke, le maître d'équitation, m'a envoyé un énorme bouquet de lys de la part de Cabriole, mon cheval préféré.

1er avril 1770

J'écrirai plus tard au sujet de la délégation. Cet événement n'est rien comparé à un autre, apparemment moins important et auquel presque personne n'a prêté attention. Nous avons surpris la Vieille Krout en train de tricher ouvertement ! Oh, je ne devrais pas revendiquer cet honneur. Ce n'est pas moi qui l'ai découvert, ni Elisabeth. C'est Schnitzy ! Il dort souvent sous la table de jeu. Hier soir, il était à sa place habituelle et nous l'avons entendu mâchonner quelque chose. Je croyais que c'était son pilon en bois préféré, celui que le cuisinier lui a offert à l'automne dernier. Mais ce n'était pas cela. C'était la chaussure de la Vieille Krout ! Elle parle souvent de ses cors et s'excuse ainsi de retirer ses chaussures. Cette fois, quand elle s'est penchée pour récupérer son escarpin, nous avons entendu un petit jappement. La Vieille Krout s'est relevée, le visage congestionné ; ses yeux lançaient des éclairs. Puis nous avons entendu un terrible hurlement et la table a fait une sorte de bond. Elle avait donné un coup de pied à Schnitzy. Le chien s'est sauvé de sous la table avec sa chaussure dans la gueule, et... deux cartes maîtresses en sont tombées ! La traîtresse ! Depuis le début, elle cachait des cartes dans ses chaussures. Non seulement elle marque les cartes mais, quand elle a vraiment mauvais jeu, elle les échange ! Quelle honte !

Elle a quitté la pièce en courant ! Maintenant, je tremble pour la vie de Schnitzy.

2 avril 1770

La première délégation venue me féliciter était composée de vingt étudiants de l'université de Vienne. Ils se sont adressés à moi en latin. Je n'ai presque rien compris mais, heureusement, l'abbé de Vermond m'avait préparé un bref discours (trois phrases) en latin et j'ai ainsi pu leur répondre. Elisabeth m'avait aidée pour apprendre mon texte et elle m'a dit que j'avais été très bien.

P.S. Nous avons rapporté à maman la manière dont la Vieille Krout trichait à la table de jeu. Elle s'est contentée de sourire et de hocher la tête.

– Cette femme a rempli son office. Je vais la renvoyer au jardin des dames.

C'est comme cela que maman appelle les salons où se réunissent les dames de compagnie. Quand je lui ai demandé pourquoi elle ne renvoyait pas la comtesse sur ses terres, elle a paru consternée par ma bêtise.

– Quoi ? Pour ne plus pouvoir la surveiller ? Jamais !

3 avril 1770

Joie ! ! ! Oh, mon cher journal, tu ne devineras jamais ce qui m'est arrivé aujourd'hui. J'ai enfin reçu des nouvelles de mon futur époux ! L'ambassadeur français, Durfort, est arrivé aujourd'hui et a apporté avec lui non pas un, mais deux portraits de Louis-Auguste — un pour moi et un pour maman. Il n'est pas laid ; il est même d'agréable tournure, exactement comme le disait l'abbé de Vermond. Je préfère de loin ce visage franc et bienveillant à celui de ces élégants de la cour qui se mettent de la poudre et des mouches. J'ai accroché son portrait dans mes appartements, à côté de la fenêtre qui se trouve près de mon bureau. Et ce soir, je dois avouer que je me suis entraînée à lui parler. Sur le portrait, la bouche forme une ligne droite, assez fine, mais je vois bien qu'elle pourrait se changer en un charmant sourire. Alors j'essaie de trouver des choses drôles à lui raconter. Les devinettes, c'est toujours bien. Son Excellence l'ambassadeur a été tout à fait ravi de la manière dont j'ai réagi. Il m'a appris que le dauphin s'intéresse tout particulièrement aux serrures et à la serrurerie. Je ne connais vraiment rien à ces choses-là.

Elisabeth m'a suggéré de faire venir le serrurier de la cour pour qu'il me montre quelques spécimens et qu'il m'explique leur mécanisme.

6 avril 1770

La serrurerie, c'est assez ennuyeux. Non, pas assez : très ! Mais, apparemment, ce genre de choses passionne certaines personnes. Herr Munchenmaas, le serrurier impérial, a été ravi de venir dans mes appartements hier avec un assortiment de serrures et de m'en expliquer toute la complexité. Heureusement, Elisabeth était là pour poser les questions importantes. Moi, je m'ennuyais trop pour en trouver une seule. Voici ce que j'ai appris : les premières serrures étaient très primitives et ont été inventées en Égypte, il y a des milliers d'années. C'étaient de simples verrous. Puis Herr Munchenmaas a cité le prophète Isaïe de l'Ancien Testament : « Je placerai sur ses épaules la clef de la maison de David. » Ce qui lui a permis de discourir pendant au moins vingt minutes sur l'invention des clefs, le pêne dormant, les gorges de serrure et toute une variété de pièces mécaniques. Elisabeth a établi une liste des différentes parties de la serrure, et elle les a dessinées pour que je puisse les apprendre et me montrer ainsi aimable envers le dauphin. J'espère qu'il a d'autres centres d'intérêt à me faire partager !

10 avril 1770

Maman veut que je dorme désormais dans ses appartements : les valets de chambre ont dressé pour moi un lit tout près du sien. Comme si elle sentait que les jours ne seront pas assez longs pour qu'elle puisse, avant mon départ, m'apprendre tout ce que je dois savoir sur le mariage, sur le fait d'avoir des enfants, sur la manière de traiter serviteurs et courtisans. Elle parle sans arrêt pendant que les femmes de chambre nous apprêtent pour la nuit. C'est intéressant, mais en vivant si près de maman, je vois à quel point elle a vieilli ces deux dernières années. Sa peau se plisse autour de son cou et, malgré son embonpoint, son corps s'est affaissé. Sans ses postiches et ses tresses, ses propres cheveux ne couvrent qu'à peine sa tête, et son crâne paraît petit et fragile comme un bol de porcelaine. Maman a cinquante-quatre ans. C'est un grand âge, je le sais. D'autres, à cinquante-quatre ans, paraissent beaucoup plus jeunes, mais ils ne sont pas impératrices du Saint Empire romain ! Ils ne doivent pas se préoccuper de monstres comme Frédéric de Prusse. Je jure que je vais écouter attentivement tout ce que me dit maman et que j'apprendrai ses leçons par cœur. Je ne veux pas qu'elle ait à se faire de souci pour moi.

12 avril 1770

À peine une minute pour écrire. J'ai été soumise des heures durant aux essayages de ma nouvelle garde-robe française. Mon départ pour la France a lieu dans moins de quinze jours ! Et le mariage par procuration sera célébré dans une semaine...

13 avril 1770

La nuit dernière, quand nous nous sommes agenouillées pour faire nos prières, avant de nous coucher, j'ai vu les mains de maman trembler. Une fois de plus, j'ai été frappée de voir à quel point elle a vieilli. J'espère que je me porterai mieux qu'elle. Je ne supporterais pas du tout de voir ma peau se rider et se distendre comme la sienne. Et les parties encore lisses sont grises et marbrées. Cinquante-quatre ans, c'est un âge que j'ai du mal à imaginer. Il faut dire qu'elle a eu tant de responsabilités ! Je prie pour que, en tant que dauphine et future reine de France, ma vie soit un peu plus facile. Les Français sont portés sur le divertissement et d'un naturel très gai. Cela devrait m'aider. Et, bien sûr, la cour est extrêmement riche. Maman, elle, s'inquiète beaucoup des affaires d'argent. Même si je trouve qu'il n'est pas vraiment raisonnable de s'inquiéter de la sorte.

14 avril 1770

Demain, le marquis de Durfort doit arriver avec le cortège nuptial, qui m'accompagnera jusqu'en France. Toute la journée s'est passée en interminables palabres avec maman, le prince Kaunitz et notre ambassadeur à la cour de France, le comte Mercy. J'ai découvert que je ne pourrai emporter avec moi que très peu de ce qui m'appartient. Aucune de mes femmes de chambre ne voyagera avec moi au-delà de la frontière française. Aucun des palefreniers que j'ai appris à connaître depuis mon enfance. Il n'y aura autour de moi guère de visages familiers, à part celui de l'abbé de Vermond. À la frontière, près de la ville de Strasbourg, à l'abbaye de Schüttern, je rencontrerai mes nouvelles dames de compagnie et mes nouveaux serviteurs. Non seulement je n'ai pas le droit d'emmener avec moi mes compagnons fidèles, qui m'ont si bien servie, mais je ne peux emporter aucune de mes affaires personnelles, pas même mes robes préférées. Je me suis mise à pleurer, à la grande consternation de maman. J'ai supplié pour avoir le droit d'emmener Schnitzy. Ils m'ont répondu qu'ils allaient y réfléchir.

15 avril 1770

Nous sommes restés trois heures au balcon à regarder le cortège entrer dans la grande cour du palais de la Hofburg. En tout, il y avait quarante-huit voitures, tirées chacune par six chevaux, y compris les immenses berlines dorées que Louis XV a commandées spécialement pour moi. On m'a rapporté que l'une d'elles est tapissée de velours cramoisi, où ont été brodées les quatre saisons ; la seconde est garnie de velours bleu et ses panneaux représentent les quatre éléments. Les chandeliers sont en cristal ; il y a même, paraît-il, une table où l'on peut disposer un service à thé complet ! Une bonne centaine d'écuyers et de gardes à cheval entouraient les carrosses, autour desquels se pressaient pages et valets en livrée bleu, jaune et argent.

16 avril 1770

La réception officielle de bienvenue pour l'ambassadeur Durfort, en tant que représentant de Louis XV, a eu lieu ce soir. Il y a eu deux spectacles, dont un ballet, avec une chorégraphie que Noverre avait imaginée pour l'occasion. Je n'ai pu m'empêcher d'évoquer nos spectacles de l'été et le ballet que j'ai dansé avec Titi à Schönbrunn... Pour cette soirée, j'ai dû passer six heures avec quatre coiffeurs. Je crains de ne pas fermer l'œil cette nuit, car je dois abandonner mon coussin pour le billot de bois censé préserver ma coiffure. Heureusement, Liesel, ma femme de chambre, m'a promis un épais rembourrage de coton là où je dois poser ma nuque.

17 avril 1770

À midi, dans la grande salle du Conseil donnant sur la Burgplatz, en présence de maman et de mon frère Joseph ainsi que de leurs ministres et conseillers, j'ai signé les actes de renonciation à tous mes droits en tant que descendante de la dynastie des Habsbourg. Ce qui veut dire que ni moi, ni aucun de mes futurs enfants ne pourrons jamais faire valoir notre droit au trône. Joseph, qui règne aux côtés de maman en tant qu'empereur, conserve tous les droits pour lui-même et pour ses enfants. J'ai dû jurer sur l'Évangile que me présentait le comte Herberstein. Je me sentais oppressée. J'ai toujours vécu en Autriche, je suis autrichienne mais, par ce serment, je m'exile. Je dois à présent prendre conscience que je ne peux plus réclamer ce qui m'est dû par droit de naissance. Dans quatre jours, je quitterai vraiment mon pays natal, au moment où je monterai dans l'une des deux berlines pour être emportée loin de Vienne et de l'Autriche.

P.S. Elisabeth est entrée en trombe dans mes appartements, il y a quelques minutes à peine, porteuse d'une merveilleuse nouvelle : j'ai le droit d'emmener Schnitzy avec moi en France ! J'étais folle de joie mais, au moment où je me baissais pour caresser mon petit chien, j'ai été frappée par cette dure vérité : combien je préférerais emmener Elisabeth ! Quand pourrais-je espérer la revoir ? En me relevant, j'ai surpris dans les yeux de ma sœur, à travers son voile, une réplique exacte de mes pensées. Nous nous sommes précipitées dans les bras l'une de l'autre, en écrasant un peu Schnitzy au milieu. Le chien jappait, et nous pleurions. Nos joues étaient tellement mouillées de larmes salées que Schnitzy a commencé à nous lécher le visage et nous nous sommes mises à rire. Je suis bouleversée. Je ris, je pleure, je ne parviens pas à démêler mes émotions. Et, dans deux jours, je serai mariée par procuration...

18 avril 1770

Depuis, avec Ferdinand, nous nous sommes entraînés pour la cérémonie du mariage par procuration. Nous n'avons pas pu nous empêcher de rire sottement. Impossible de nous retenir : après tout, cela fait des années que nous sommes frère et sœur, que nous faisons la course avec nos poneys, que nous jouons et faisons des farces ensemble. Qu'il soit, lui, le mari de substitution, alors que c'est moi la mariée, semble tellement ridicule ! N'est-ce pas juste un nouveau jeu ? Je me rappelle si bien la fois où Ferdinand avait glissé une petite grenouille sous le couvercle en argent de mon dessert préféré, la tarte viennoise. À la place de la crème fouettée blanche et mousseuse, j'avais trouvé cette petite bestiole verte qui tremblait. Nous avions failli mourir de rire !

Depuis, quand nous nous agenouillons ensemble dans l'église des Augustins, je pense à cette petite grenouille verte et je me mets immanquablement à rire. Cet après-midi, j'ai d'abord fait semblant de tousser, mais je n'ai pu faire illusion longtemps. Ferdinand savait exactement à quoi je pensais, et il a commencé à faire des grimaces, puis à s'étouffer, tellement il gloussait. Oh, bonté divine, c'était un véritable supplice ! Le comte Mercy nous a tancés avec dureté. Nous avons fini par accomplir tout ce que l'on attendait de nous, sans rire.

19 avril 1770

Je suis mariée, et je ne sens absolument aucune différence. Ferdinand et moi avons été parfaits au cours de la cérémonie. J'ai du mal à croire que j'aie jamais pu penser me mettre à rire en cette circonstance solennelle ! J'ai marché, au milieu d'une haie d'honneur de deux cents grenadiers royaux, jusqu'à l'église des Augustins qui jouxte le palais. Ma robe était de drap d'argent, avec une traîne de plus de trente pieds. La comtesse Trautmannsdorff, une très chère et vieille amie de maman, portait ma traîne. J'ai cru comprendre que la Vieille Krout était très vexée : elle pensait que ce rôle lui revenait. Mais j'ai toujours adoré Trautie, comme maman la surnomme, et elle fera partie de mon escorte jusqu'à la frontière française. Quand Ferdinand a glissé l'anneau à mon doigt, j'ai pensé à Louis-Auguste mais, pour une raison que j'ignore, je n'ai pas réussi à me représenter son visage, même si son portrait est accroché au mur, chez moi, depuis plusieurs jours déjà.

Ce soir, j'ai écrit une lettre à mon nouveau beau-père, le roi Louis XV, et à mon mari, le dauphin, pour les informer que la célébration de mon mariage avait eu lieu. J'ai signé la lettre Antonia. Maman n'a pas élevé d'objection, ce qui m'a surprise. Mais c'est la toute dernière fois que je signe de la sorte. À dater d'aujourd'hui, mon nom est Marie-Antoinette. On m'a expliqué que le prénom Antonia n'existe pas en France.

Nous partons après-demain. On dit que notre procession de voitures, d'écuyers et de laquais s'étend sur près d'une lieue.

Enns, Autriche, château du prince Auersperg
22 avril 1770

Il fait froid, il pleut et ce château ne me paraît pas convenablement chauffé. J'ai demandé à Trautie comment nous étions censées nous habiller pour le banquet du prince, s'il devait faire aussi froid dans la salle où il sera servi. Dieu merci, Trautie est le bon sens incarné. Elle m'a répondu qu'elle prévoyait de porter des dessous de flanelle et que je pouvais faire ce que bon me semblait. C'est ce que j'aime chez elle. Elle ne donne jamais de conseils, mais montre le bon exemple.

Nous avons passé notre première nuit au couvent des bénédictines de Melk. Mon frère Joseph nous a accompagnés jusqu'ici. Les élèves du monastère nous ont présenté un opéra – exécrable. Ce qui illustre ce que maman a toujours soutenu : plus on s'éloigne de Vienne, moins la musique est bonne.

La voiture dans laquelle nous voyageons – la berline – est aussi belle que ce que l'on m'en avait dit. Trautie a même prétendu que cette nuit nous aurions vraisemblablement été plus à l'aise dans la voiture que dans cette chambre froide et humide du château. Schnitzy dormira sous les couvertures avec moi. Je ne veux surtout pas qu'il attrape froid. Il est, de ma vie d'avant, tout ce que j'ai le droit d'emporter de l'autre côté de la frontière.

Alt Ettingen, Bavière
25 avril 1770

Les jours se ressemblent tous. J'ai l'impression de ne pas être à la hauteur du voyage : je regarde la campagne à travers la fenêtre de la berline, et je m'ennuie. Nous traversons de petits villages dont les habitants sortent de leurs maisons pour nous acclamer. Maman, elle, serait captivée, car c'est son royaume. Il n'y a pas une seule parcelle de cette terre qui ne soit pour elle un sujet d'intérêt. Nous passons à travers tous les petits États qui forment l'empire. En ce moment, nous sommes dans la partie que l'on appelle le Saint Empire romain germanique, mais qui est toujours sous l'autorité de maman et de Joseph.

Nous approchons maintenant de Munich où de nombreuses festivités sont prévues. Maximilian Joseph, l'Électeur de Bavière, vit ici et c'est l'un des hommes les plus riches de toute l'Europe. Son pavillon de chasse à Amalienburg et ses jardins sont, paraît-il, des merveilles. Nous avons envoyé des nouvelles à Vienne par courrier. J'ai préparé des lettres pour maman, pour Elisabeth et pour Ferdinand. J'ai eu beaucoup de mal à écrire à ma sœur. Le matin de mon départ, les mots m'ont manqué pour les adieux. C'était trop douloureux, et le pire a été de devoir m'arracher à Elisabeth.

Je sens que je vais avoir un rhume.

Augsbourg, Allemagne
28 avril 1770

Nous avons tous un rhume terrible. Pas étonnant ! Il n'a fait que pleuvoir depuis que nous avons quitté Vienne. Ma tante Charlotte, la sœur de mon père, va m'accueillir demain à l'abbaye de Günsbourg dont elle est l'abbesse.

29 avril 1770

Je suis si heureuse d'être ici ! Comme tout le monde est enrhumé, nous allons rester quelques jours de plus. Ma tante Charlotte est une femme merveilleuse. Je retrouve sur son visage les traits de mon cher père. Son caractère présente un mélange parfait de gaieté et de tendresse tranquilles. J'aimerais pouvoir rester ici pour toujours. Elle dirige sa communauté avec une douce efficacité, et l'abbaye est charmante car Augsbourg, qui n'est qu'à neuf heures de marche, est l'une des villes les plus riches de l'empire.

1er mai 1770

Les jours que je passe avec tante Charlotte paraissent enchantés. Elle m'a appris un nouveau point de broderie ; nous restons dans ses confortables appartements à boire du thé, et j'en profite pour tout lui raconter au sujet de ses nombreux neveux et nièces. Elle a beaucoup ri quand je lui ai narré l'épisode de la grenouille dans mon dessert ! Puis elle m'a rapporté une foule d'histoires amusantes à propos de mon père et de leur enfance en Lorraine. Elle m'a promis que, si demain j'allais mieux, elle m'emmènerait à la lisière du pré, au-delà de l'abbaye, près de la forêt, là où poussent les asperges sauvages. Elle dit que c'est ce que Dieu a fait pousser de plus délicieux sur terre. J'ai hâte d'y aller. Mais je dois avouer que j'ai peur que cette escapade ne soit gâchée si le comte Mercy ou l'ambassadeur Durfort insistent pour que nous soyons accompagnées de l'escorte habituelle.

2 mai 1770

Il est tard, mais il faut absolument que je fasse le récit de cette merveilleuse journée. Cela a commencé par une explication très calme entre tante Charlotte et — comme vous l'avez deviné — le comte Mercy et le marquis de Durfort. Non, elle ne voulait pas entendre parler d'une grande escorte. Elle n'autoriserait que deux écuyers à nous accompagner, avec Trautie. Vous ne le croirez pas, mais elle a obtenu ce qu'elle voulait ! Elle leur a dit que le pré était un lieu de paix et de beauté dans lequel, si l'on s'approchait calmement, les animaux ne pensaient pas à s'enfuir, car il y a là de charmants oiseaux, de petits écureuils, des mulots et même parfois des biches. Elle leur a expliqué qu'elle voulait que je voie toutes ces choses car elles étaient simples, bonnes et bénies de Dieu, et que je n'aurais plus que de très rares occasions de profiter de la nature une fois à la cour de Versailles. Il était hors de question qu'elle laisse cinquante grenadiers et écuyers, avec leurs chevaux qui piaffent et leurs épées qui cliquettent, piétiner le pré de Dieu.

Alors nous sommes parties. Rien que tous les cinq, avec deux paniers de pique-nique et deux petites bêches pour déterrer les asperges. Et j'ai tout vu : la biche, une mésange, une alouette des prés, un faucon à queue rouge, et même un faon à la lisière de la forêt, avec sa mère !

Nous avons déterré des asperges et, ce soir, tante Charlotte les a préparées elle-même avec du beurre et du fromage fondu. J'en ai mangé toute une assiette et j'ai bu la moitié du pot en grès de lait sucré. Puis j'ai pris deux tranches du pain complet tout frais que ma tante et les sœurs font cuire chaque jour.

Ce soir, j'ai confié à Trautie que je comprenais maintenant pourquoi une femme choisissait de devenir religieuse cloîtrée. On ne se soumet qu'à Jésus-Christ. Il est votre mari, votre protecteur. Être une véritable épouse du Christ, c'est être plus puissante que la reine d'un empire.

3 mai 1770

Malheureusement, nous sommes en train de guérir de notre rhume. J'ai peur que nous ne devions partir d'ici deux jours. Je vais être si triste...

4 mai 1770

Nous partons demain. J'ai voulu que tante Charlotte me promette de venir me voir à Versailles. Elle a commencé par me répondre :

– Oh non, ma chère, Versailles...

Mais elle s'est rendu compte de ce qu'elle était en train de dire, alors elle a ajouté, d'une voix douce :

– Il n'est pas nécessaire d'être près de quelqu'un pour savoir comment il va, ou ce qu'il ressent. Il est possible, chère Antonia, d'entrer en communion malgré la distance.

Je crois que ce qu'elle a dit doit être vrai, mais ce qu'elle avait commencé à dire doit l'être aussi : « Versailles n'est pas un endroit pour quelqu'un qui demeure dans l'esprit du Christ. »

Prendre congé demain sera peut-être le plus difficile des adieux.

Riedlingen, duché de Wurtemberg, Allemagne
5 mai 1770

Nous sommes dans la ville de Riedlingen, juste à côté du Danube. Le fleuve dégage une odeur infecte. J'essaie de ne me souvenir que du goût des asperges que tante Charlotte avait préparées pour moi.

Abbaye de Schüttern, près de Strasbourg
6 mai 1770

C'est la dernière étape avant la frontière entre l'empire et la France. Nous sommes tous très fatigués. Dans quelques minutes, je dois rencontrer ma nouvelle dame d'honneur, la comtesse de Noailles, et son mari. Le comte est encore un autre des hauts ambassadeurs du roi français.

Plus tard

J'ai rencontré le comte et la comtesse et leur suffisance m'a déplu. Le comte m'a à peine prêté attention. Il fulminait à cause d'une formule dans un document qu'il considérait insultante pour la cour de Versailles. Cela a donné lieu à des tractations sans fin entre lui et le comte Mercy. On m'a complètement ignorée.

Je trouve que la façon dont cet homme s'est conduit envers moi est bien plus insultante que n'importe quelle formule sur un bout de papier. J'étais tout de même au beau milieu de la pièce ! La comtesse avait l'air plus préoccupée par son mari que par moi. Et demain, il faudra que je dise au revoir à la bonne et sensée Trautie. À sa place, je devrai supporter cette femme arrogante...

7 mai 1770

Je n'ai pu fermer l'œil et j'écris maintenant à la faible lueur de l'aube. Aujourd'hui a lieu la cérémonie de la remise, ou livraison. La livraison de... moi. Cela doit se passer sur un sol ni autrichien, ni français, le plus proche possible d'une zone neutre : une île au milieu du Rhin. Un bâtiment a été construit spécialement pour la cérémonie. En quoi consiste-t-elle ? Je l'ignore. On a été assez vague sur ce sujet avec moi.

Je donnerai des détails plus tard. Dans quelques heures. Je dois me parer pour la cérémonie, avec mes bijoux d'Autriche mais, tout de suite après, il faudra que je me change de nouveau.

Strasbourg
Plus tard

Il est maintenant près de minuit. En dépit de ma fatigue, je n'arrive pas à trouver le sommeil. Les festivités vont durer encore deux jours et il faut que je sourie. Il faut que je montre de la grâce, que j'écoute chacun avec attention et déférence mais, pour l'instant, cher journal, écoute-moi, s'il te plaît, car il se peut que je pleure, que je grimace, et je mourrai si je ne peux t'ouvrir mon cœur. La cérémonie d'aujourd'hui a été l'épreuve la plus difficile que j'aie jamais eu à subir. Je n'arrive pas à la concevoir autrement que comme un enterrement – le mien ! J'avais le sentiment étrange d'être hors de mon corps et de regarder les ambassadeurs en disposer à leur gré.

À la mi-journée, on m'a emmenée en bateau à l'île des Épis, au milieu de deux bras du Rhin, près des portes de la ville de Strasbourg. J'ai ensuite marché entre deux rangées de soldats et une foule d'un millier de personnes jusqu'à une maison toute neuve. Je suis entrée par une porte située du côté autrichien de la frontière. Dans un grand salon où pendaient des tapisseries représentant l'histoire de Jason et de Médée, j'ai dû m'asseoir dans un fauteuil placé sur une petite estrade, sous un dais. Il y a eu de longs discours et beaucoup de documents ont circulé. Dehors, il a commencé à pleuvoir et, comme le bâtiment a été bâti à la va-vite, l'eau filtrait en plusieurs endroits. J'ai vu la comtesse de Noailles s'éloigner tout doucement d'une flaque. Personne ne faisait attention à la pluie, tous les yeux étaient fixés sur moi. Moi, je ne regardais personne. J'étudiais avec une attention soutenue les gouttes qui tombaient devant mon fauteuil. Comme cela, je pouvais tenir ma tête droite et paraître calme, alors que des centaines d'yeux semblaient se repaître de moi. Les gouttes de pluie étaient ma seule diversion, mon seul réconfort. J'étais si absorbée par ce spectacle que je n'ai même pas remarqué que toute la délégation autrichienne s'était retirée et que j'étais seule au milieu d'étrangers. Le comte Mercy, parti. Trautie et Brunhilda, parties, ainsi que mes serviteurs et écuyers. Et devant moi se tenaient le comte et la comtesse de Noailles, avec leurs visages pointus et blafards, teintés d'une petite nuance verdâtre. La mouche du comte avait glissé dans une position très peu à la mode, près de son oreille.

On m'a ensuite conduite dans un cabinet où j'ai été ravie de retrouver mes anciennes servantes, Brunhilda, Trautie et plusieurs autres de mes femmes de chambre. Mais j'ai été choquée d'apprendre que je devais, suivant le protocole, enlever tous mes habits, même mes dessous, mes bas et ma chemise, et laisser ces vêtements autrichiens derrière moi. Ensuite, il me faudrait ouvrir la porte et pénétrer, seule et complètement nue, dans une autre pièce ! Trautie m'a assuré qu'il n'y aurait là que des femmes pour m'accueillir et que, lorsque je serais entrée dans l'autre cabinet, j'aurais alors traversé une frontière invisible et je serais en territoire français. Là, on me donnerait de nouveaux vêtements, symbolisant ma nouvelle nationalité.

Elles ont donc commencé à m'enlever ma robe, mes bagues, mes chaussures. Pas une boucle, pas un mouchoir de dentelle ne devait traverser la frontière. Même si j'étais nue comme au premier jour, j'avais l'impression d'être morte. J'étais un corps que l'on prépare pour l'inhumation. Je devais ensuite, d'après l'étiquette, saluer la comtesse de Noailles qui tenait un peignoir de soie dorée, mais je n'ai pas pu faire la révérence nue. Je me suis jetée sur elle et lui ai arraché le peignoir : toutes les autres dames de compagnie en sont restées bouche bée. La comtesse m'a sifflé qu'elle seule, en tant que dame d'honneur, pouvait me revêtir de mon peignoir et que je devais lui faire la révérence pour reconnaître sa position de première dame.

– C'est l'étiquette.

Je n'ai pas répondu. J'ai simplement resserré les pans de mon peignoir sur ma poitrine. J'avais envie de lui crier : « Les cadavres ne font pas de révérence, sotte créature ! » mais j'ai gardé le silence.

Château de Saverne, en dehors de Strasbourg
9 mai 1770

Je me suis un peu remise de cette terrible épreuve. Mais je ne sais pas si j'arriverai un jour à m'entendre avec la comtesse de Noailles. La seule chose qui la différencie de la Vieille Krout, c'est qu'elle ne triche pas aux cartes — à ma connaissance ! Nous avons fait quelques parties hier soir. J'étais loin de me douter, après mon refus de faire la révérence, qu'elle trouverait l'occasion de me répéter : « C'est l'étiquette ! » au moins quarante fois en deux jours. C'est sa phrase préférée. Je crois que je vais l'appeler Mme Étiquette.

Chaque soir, on donne en mon honneur des festivités et des spectacles. J'ai assisté à une représentation de *La Servante maîtresse* de Pergolèse, à un feu d'artifice où mes initiales et celles du dauphin, entrelacées, ont brillé dans le ciel, à un bal... et, ce matin, une grande messe a été célébrée par Louis de Rohan, l'évêque de Strasbourg.

– C'est l'âme de Marie-Thérèse qui va s'unir à l'âme des Bourbons, a-t-il dit en parlant de mon mariage...

J'ai applaudi une merveilleuse procession de jongleurs, de clowns et d'acrobates. On m'a présenté une femme réputée pour avoir cent cinq ans. Elle était aussi petite qu'un enfant et aussi ridée qu'un raisin sec, mais ses yeux étaient limpides et sa voix coupante. Elle a marché droit sur moi puis a chevroté :

– Princesse, je prie le ciel que vous viviez aussi vieille que moi et, comme moi, en bonne santé.

Je lui ai répondu que c'était tout ce que je souhaitais, si cela était utile au bien-être de la France. Même la comtesse de Noailles a hoché la tête et a souri de ma réponse.

Chaque fois que je dis ce qu'il faut, la comtesse de Noailles paraît surprise, peut-être à cause de mon excellent français. Je n'arrive pas à croire qu'elle ignore que le français est, après tout, la langue de la cour des Habsbourg. L'écrire est plus difficile pour moi. Même l'allemand est délicat à l'écrit. Mais regardez comme j'ai fait des progrès ! Regardez à quel point mes phrases se sont enrichies depuis que j'ai commencé à tenir ce journal ! Et je crois vraiment que ma façon de penser s'est également enrichie. Je vois les choses et les gens autrement — et, surtout, je réfléchis profondément à ce que je ressens, trop profondément parfois.

Nous faisons désormais route vers Paris et dormirons ce soir dans le palais de l'évêque de Strasbourg, à Saverne. C'est assez grandiose.

11 mai 1770

Nous devons arriver à Compiègne dans trois jours. C'est le domaine de chasse préféré du roi et du dauphin. Ils seront là. Je suis si nerveuse ! Je n'arrive plus à m'intéresser à ces multitudes de gens, à ces bannières de fête qui nous accueillent dans chaque ville traversée. La comtesse de Noailles parle sans arrêt — d'étiquette, de quoi d'autre ? Son discours n'est qu'une suite ininterrompue d'instructions sur ce qu'il faudra que je fasse, une fois à Compiègne. Comment descendre de voiture. Comment faire la révérence. Comment accueillir mon beau-grand-père, le roi, la première fois. Comment placer mes mains quand nous serons tous à nouveau en voiture. Comment recevoir les hommages des autres dames d'honneur qui nous attendent là-bas. La comtesse de Noailles me fait répéter la révérence pour le roi au moins cinq fois chaque soir avant que je ne me retire. C'est compliqué, mais mon maître à danser Noverre m'a bien formée. Je crois qu'elle est étonnée.

Ce n'est pas une simple révérence. Elle se déroule en quatre temps. D'abord, il faut s'incliner. La jambe gauche tendue vers l'arrière. Dans un deuxième temps, elle est complètement tendue, et il faut repousser sa robe en arrière avec le bras. Il faut tenir cette position pendant quinze bonnes secondes en comptant (un, et un, deux, et deux...). Ensuite, il faut se relever de la même manière. Je m'en tire à mon honneur, mais la comtesse trouve toujours quelque chose à redire. Qu'elle est agaçante ! Je ne me vois pas vivre jusqu'à cent cinq ans avec une dame d'honneur comme elle.

Pont de Berne, près de Compiègne
14 mai 1770

Je suis effondrée. J'ai enfin rencontré le dauphin de France, mon mari, Louis-Auguste. Il est affreux ! Je ne sais pas par où commencer.

Quand nous sommes arrivés au pont de Berne, le soleil rayonnait. La forêt paraissait étinceler. J'ai très exactement suivi les instructions de la comtesse de Noailles et j'ai marché entre mon chevalier d'honneur et mon premier écuyer jusqu'au roi. Celui-ci est l'un des hommes les plus beaux que j'ai jamais vus. Son petit-fils doit certainement être beau, ai-je alors pensé. Ma révérence a été parfaite, et je n'ai même pas eu à la tenir pendant quinze secondes, car le roi lui-même s'est penché, a passé sa main sous mon menton, m'a fait relever, m'a embrassée sur les deux joues et m'a adressé des paroles tout à fait charmantes. Je n'avais pas encore aperçu le dauphin. Alors, le roi, d'un ton quelque peu acerbe, a appelé :

– Louis ! Louis ! Venez, jeune homme, venez donc voir votre charmante petite épouse.

Imaginez mon effroi quand ce garçon embarrassé est arrivé en traînant les pieds, les yeux rivés au sol ! J'ai vu la consternation se peindre sur le visage du roi, qui a donné au dauphin une légère bourrade. Louis-Auguste s'est alors approché de moi. J'ai cru que j'allais m'évanouir ! Il ne ressemble en rien à son portrait. Il est sans finesse ni beauté. Il a des boutons... Ses yeux myopes sont ternes. Il sent mauvais ! Rien en lui n'est sympathique. Je me sens si bête, si bête ! Moi qui avais de si hautes espérances ! Quand je pense que j'avais peur de ce qu'il pourrait penser de moi ! Que je craignais de ne pas être assez jolie ! J'avais même caressé l'idée que le dauphin pourrait être le plus beau jeune homme de la terre, un véritable dieu de l'Olympe... Comment ai-je pu être aussi stupide ?

J'ai passé plus d'un an de ma vie à parfaire mon éducation, à apprendre l'étiquette et les bonnes manières, et ce gros malotru sait à peine parler. Dans la voiture, j'étais assise entre son grand-père et lui. Le dauphin n'a pas dit un seul mot. Il n'a rien fait d'autre que regarder ses pieds et se curer les ongles... qui étaient sales !

Nous venons juste d'arriver au château de Compiègne et, Dieu merci, on nous a menés à des chambres séparées. Le maître des cérémonies m'a présenté douze alliances. Aucune ne m'allait ; j'ai choisi la plus lâche.

Château de La Muette, près de Versailles
15 mai 1770

Les routes étaient tellement encombrées de gens qui voulaient me voir que les voitures avançaient comme des escargots. Nous avons été obligés de nous arrêter pour la nuit dans le château de La Muette, à quelques kilomètres de Versailles. Là, nous avons, selon l'expression de la famille royale française, les Bourbons, « soupé en famille ». Ce qui veut dire que nous n'étions que trente-cinq ! J'ai rencontré pour la première fois les frères du dauphin, mes beaux-frères. Ils sont tous les deux si beaux ! Qu'est-il arrivé à Louis-Auguste ? Néanmoins, l'un des deux, le comte de Provence, qui a le même âge que moi, paraît assez égocentrique et très imbu de lui-même. L'autre, le comte d'Artois, a un an de moins que moi et il est tout à fait charmant. Un peu timide, mais prêt à parler de livres, de chevaux et de jeux. Ils sont tellement mieux que leur frère ! Ce n'est pas juste ! Pourquoi faut-il que j'épouse celui qui a des boutons, les ongles sales, et qui ne parle jamais ?

Alors que nous soupions, j'ai remarqué, tout au bout de la table, une jeune femme à l'allure fort commune. Sous sa perruque et ses bijoux, elle ressemblait à une marchande de poisson. Je me suis discrètement informée auprès du comte d'Artois. Ma question l'a visiblement embarrassé, mais son frère est intervenu :

– Oh, la comtesse du Barry !

Il a affiché un air méprisant, et les gens autour de nous se sont tus. Je trouve indécent que le roi ait invité sa maîtresse à ce « dîner de famille ». Je me suis sentie offensée mais, à mon grand soulagement, je n'étais pas la seule. Tout le monde était indigné. Plus tard, dans mes appartements, la comtesse de Noailles bouillait de rage. C'est bien la première chose sur laquelle nous sommes tombées d'accord. C'est étrange, mais le roi a d'un seul coup perdu de sa prestance à mes yeux. J'ai remarqué les défauts de sa physionomie : son menton est un peu mou, il a l'œil droit plus bas que l'autre et sa bouche est trop charnue.

Plus tard

Je viens de rentrer dans ma chambre à coucher. J'ai trouvé, posée sur le lit, une cassette de cuir carrée de huit pouces de haut. J'ai ouvert le fermoir et soulevé le couvercle. Je n'en croyais pas mes yeux ! À l'intérieur étincelaient des rubis, des émeraudes et des diamants — des parures complètes, colliers, bracelets et boucles d'oreilles. Un billet disait simplement : « Voici les bijoux de France que toutes les reines ont portés. Ils sont à vous désormais. Affectueusement, votre beau-grand-père, le roi Louis XV. »

Demain, notre suite ira jusqu'à Versailles. Demain a lieu le mariage, le vrai mariage, où nous marcherons ensemble, Louis et moi, le long de la fameuse galerie des Glaces et dans les grands appartements, jusqu'à la chapelle. Le temps est maussade. Mais que m'importe qu'il pleuve le jour de mes noces ? Ce serait un scandale que le soleil brille. Je ne ressens aucune joie. Juste de la crainte et de la peur.

Versailles
17 mai 1770

Je suis mariée.

Il y a un mois, lors du mariage par procuration, j'ai écrit que je ne me sentais pas différente. C'est la même chose aujourd'hui, mais cela ne veut pas dire que je ne ressens rien. Louis et moi avons marché le long de la galerie tapissée de miroirs. La pluie avait cessé, et une flèche de soleil a transpercé les plus hautes fenêtres, faisant miroiter les brocarts et les bijoux de plus de deux cents personnes. Mais nul n'étincelait plus que moi. Avec les quatre mille diamants qui constellaient ma robe et réfléchissaient les rayons du soleil, j'étais prise dans une tempête de lumière pailletée. Nous sommes entrés dans la chapelle de Louis XIV, l'arrière-grand-père du roi. C'est un endroit fascinant, tout d'or et de marbre blanc. Les tuyaux de l'orgue s'élèvent de plusieurs pieds vers le ciel dans la galerie en surplomb, et des scènes de la vie du Christ sont peintes et sculptées sur les murs. Mais ce qui a attiré mon regard, c'est un magnifique bas-relief du roi David. Figé dans une éternité dorée, il pince les cordes de sa harpe. Peut-être que seul Dieu entend sa musique ? Ou bien maman avait raison : plus on s'éloigne de Vienne, moins la musique est bonne. Y a-t-il de la vraie musique en France ? Cette pensée m'a rendue si triste que j'ai senti mes yeux s'emplir de larmes. Soudain, quelqu'un a serré ma main. C'était bien Louis-Auguste, qui me regardait avec un mélange de tristesse et de crainte. À cet instant, mon cœur s'est élancé vers lui. Il a aussi peur que moi, ai-je pensé, et je me suis rendu compte que, même si je ne pouvais ressentir d'amour pour Louis-Auguste, j'aimerais devenir son amie. Nous arriverons à traverser tout cela d'une manière ou d'une autre.

Il faut que je m'en aille, maintenant, car c'est l'heure de la présentation de ma maison. Je vais rencontrer toutes mes dames d'honneur, ainsi que les officiers et les serviteurs.

Plus tard

Au palais de la Hofburg, six personnes s'occupaient de moi. Trois femmes de chambre, ma grande maîtresse, mon professeur de musique, et parfois un précepteur et un confesseur. Ici, il y en a près de deux cents. Neuf huissiers, rien que pour me présenter les gens, six écuyers pour mes sorties en voiture ou à cheval, deux médecins, quatre chirurgiens, un horloger, un perruquier, des cuisiniers, des maîtres d'hôtel, des sommeliers, des suivantes pour le bain, quatorze dames qui s'occupent du linge et des habits, et douze dames « pour accompagner » de l'aristocratie, disponibles pour jouer aux cartes ou à tout autre jeu, pour la conversation et la promenade ! Pas étonnant que mes appartements soient aussi vastes ! Comment faire tenir tout ce monde, sinon ?

18 mai 1770

Je n'arrive pas à le croire. Aujourd'hui, j'ai pris mon premier bain depuis mon arrivée ici et j'ai trouvé, dans mon salon de toilette, pas moins de huit femmes, dont la comtesse de Noailles qui se tenait toute raide près de la baignoire, avec ses bijoux, sa perruque et sa robe à paniers. Je devais me déshabiller, entrer dans le bain puis, selon l'étiquette, la comtesse donnerait le savon et les serviettes à la dame d'atours, qui est responsable de mes toilettes et de mes jupons. Celle-ci tendrait ces accessoires à la première femme de chambre qui les donnerait à la femme du bain qui, elle, me laverait ! Je me lave toute seule depuis que j'ai six ans ! Mes femmes de chambre se contentaient de tirer l'eau, et elles connaissaient de charmantes comptines pour m'aider à me rappeler qu'il fallait me laver derrière les oreilles. Mais pour qui me prennent donc ces femmes-là, pour une incapable ? Il faudrait encore une fois me déshabiller devant de parfaits étrangers ? Non merci ! Mme Étiquette a aussitôt repris son habituelle teinte verdâtre.

– Dans notre pays..., a-t-elle commencé.

Je savais ce qui viendrait ensuite, et je ne voulais pas en entendre davantage. J'ai immédiatement exigé une robe de flanelle. Je me suis déshabillée derrière un paravent pour reparaître en chemise de nuit, et je suis entrée dans la baignoire. Voilà quel fut mon compromis. Si elles insistent pour être là, je ne leur montrerai pas la moindre parcelle de peau. J'ai même réussi à arracher une éponge et du savon à l'une des dames du bain pour me laver moi-même.

22 mai 1770

Je crois que je suis en train de maigrir, car il m'est très difficile de manger devant un public de mille personnes. Si ! Imaginez-vous cela ? Nous devons dîner en public presque chaque jour. En certaines occasions, chaque branche de la famille dîne séparément, mais dans des salons qui communiquent. Les huissiers laissent n'importe qui entrer pour nous regarder manger ; il suffit pour cela d'être vêtu pour la circonstance. Les spectateurs se lassant de nous regarder, Louis et moi, avaler notre bouillon peuvent courir au salon voisin, où le roi et Mme du Barry ont entamé leur dessert. Et quand il s'agit de ce que l'on appelle un Grand Couvert, nous dînons tous ensemble dans une vaste pièce où une galerie surplombe la table. Des centaines de personnes nous observent d'en haut. Cela suffit à couper l'appétit, le mien, en tout cas. Mais pas celui du dauphin ! Il vient à bout de montagnes de nourriture. S'étant rassasié, il rote bruyamment et tout le monde sourit. Je suis étonnée que personne n'applaudisse ! Tels sont les mystères de l'étiquette à Versailles.

24 mai 1770

Je me demande si j'aurai encore, de toute ma vie, un moment rien qu'à moi. À chaque heure du jour, il y a foule autour de moi. C'est le passe-temps préféré des nobles de ce pays-ci. Regarder la dauphine prendre son café du matin. Regarder la dauphine se faire coiffer et farder. Le rouge est exigé ici. À Vienne, je n'en mettais jamais. Depuis que je suis arrivée, je n'ai pas enfilé un bas ou attaché une ceinture moi-même. Maman n'approuverait pas. Mais c'est l'étiquette !

On accède à mes appartements par ce que l'on appelle l'escalier de la Reine. La première pièce dans laquelle on entre est la chambre de mes gardes, la suivante est une vaste antichambre. C'est là que se rassemblent de nombreux courtisans pendant la journée. Mme Étiquette adore apparaître sur le seuil de la porte pour annoncer à quelle heure et qui peut entrer pour me voir, ou éventuellement pour jouer aux cartes avec moi. La pièce suivante est mon salon. J'y passe une bonne partie de ma journée, toujours entourée de mes dames.

Ma chambre à coucher est ma pièce préférée et, si je pouvais y passer plus de temps seule, sans aucune de mes femmes de chambre, ce serait parfait. Le plafond est magnifique. Il a été peint par le célèbre peintre Boucher et représente un charmant ciel doré. Une barrière en or, assez basse, sépare le lit du reste de la pièce. C'est dans ce lit que sont nés tous les enfants royaux et, comme ces naissances ont toujours été publiques et que gentilshommes et dames sont conduits directement dans la chambre à coucher, la barrière sert à garantir l'espace autour du lit pour le médecin et les sages-femmes. On peut y voir encore une fissure, datant de la dernière fois où la cour s'est pressée à une naissance royale, celle de la plus jeune sœur du dauphin, Élisabeth, qui a tout juste six ans. Son autre sœur cadette, Clothilde, a onze ans. J'aimerais bien qu'on laisse plus souvent ces deux fillettes venir dans mes appartements. Je pourrais leur montrer tous les jeux que je partageais avec Titi. J'essaie de ne pas penser à ma nièce. Cela me rend si triste ! Ces jours-ci, il y a beaucoup de choses dont j'essaie de détourner mon esprit. Il est difficile de ne pas penser à quelque chose : le simple fait de vouloir s'en empêcher oblige à le faire ! Et, bien sûr, je n'ai de toute façon plus l'intimité nécessaire pour pouvoir méditer sur quoi que ce soit. Alors quelle importance ?

26 mai 1770

J'ai été invitée à me rendre dans les appartements des filles du roi, tantes du dauphin. Aucune d'entre elles ne s'est jamais mariée. Elles s'appellent Adélaïde, Victoire et Sophie et ne sont pas vraiment séduisantes. Pour tout dire, Sophie est même franchement laide, et un peu froide. Adélaïde est très extravertie, et la pauvre Victoire semble s'effrayer d'un rien. Mais elles m'ont accueillie avec chaleur et m'ont invitée à jouer aux cartes. Au cours de la soirée, elles ont réussi à placer de nombreux commentaires acerbes sur la du Barry. Elles refusent de l'appeler comtesse, même si ce titre lui a été octroyé. Mais maintenant que j'ai appris que le roi lui-même a trouvé pour ses filles les surnoms les plus répugnants — Vipère, Truie et Bécasse — je trouve qu'elles ont tout à fait le droit de l'appeler la du Barry. Avant de séduire le roi, elle n'était qu'une simple roturière. Elles m'ont tout raconté à son sujet. C'est une fille des rues, de mœurs légères ; le roi l'a mariée à un comte pour qu'elle puisse être présentée à la cour. Son mari ne s'en soucie guère, car il tire de nombreux bénéfices d'avoir pour femme une favorite royale. Ce doit être ce que l'on appelle l'étiquette à Versailles. Lulu ne m'a jamais enseigné aucune de ces leçons-là.

1er juin 1770

Cette semaine, j'ai joué plusieurs fois aux cartes avec les tantes. Je ne sais pas si elles recherchent ma compagnie pour mes talents au jeu, ou si elles saisissent l'occasion de clabauder sur Mme du Barry. Je leur prête une oreille complaisante, ce qu'elles semblent apprécier. Mais pendant que je joue, j'observe également. J'ai rencontré dans leurs appartements une charmante jeune femme qui est à leur service. Je l'ai remarquée dès ma première visite. Hier soir, elle nous a rejointes à la table de jeu. Mme Campan (c'est son nom) est pleine de charme et d'esprit. Elle sert de lectrice aux trois sœurs, surtout à la princesse Victoire. C'est un poste officiel. Tous les jours, elle leur lit de la poésie, des romans ou d'autres ouvrages. Quand elle est arrivée ici, elle était encore célibataire, mais elle s'est mariée depuis. Je ne pense pas qu'elle ait plus de vingt ans. Mais je l'aime beaucoup. J'aimerais qu'elle soit ma lectrice. En fait, j'aimerais que ce soit elle ma dame d'honneur, plutôt que Mme Étiquette !

3 juin 1770

Mes journées suivent maintenant un emploi du temps régulier. J'en ai donné le détail à maman dans une de mes lettres. Je me lève à neuf ou dix heures. La dame de la garde-robe m'apporte un livre avec des dessins de toutes mes robes et je dois choisir celles que je porterai dans la journée. La seconde dame d'atours suit avec un panier que l'on appelle le « prêt du jour » et qui contient le linge — chemises, bas et mouchoirs. Ma dame d'honneur, la comtesse de Noailles, me verse de l'eau sur les mains et me revêt de mon linge de corps. Elle est la seule à avoir le droit de le faire.

Après m'être habillée en présence d'au moins huit dames qui me tendent chacune un vêtement différent selon ce que l'étiquette leur ordonne, je dis mes prières du matin. Je prie toujours d'abord pour maman, Elisabeth, et père, puis pour Titi et Lulu. Je prie enfin pour Louis-Auguste, le roi et les tantes de Louis. Puis je prends mon petit déjeuner et je rends visite aux tantes, chez qui je trouve ordinairement le roi, qui prend plaisir à les tourmenter sans pitié.

À onze heures, je retourne à mes appartements pour la Grande Toilette : un coiffeur m'attend pour apprêter mes cheveux en vue de la partie la plus publique de ma journée. Cela prend au moins deux heures. Tout le monde est ensuite appelé dans ma chambre pendant que la seconde dame d'atours me met du rouge. De nombreux courtisans sont présents. Cela fait partie des divertissements de la cour de France : si vous êtes noble et prenez les bons arrangements avec les bonnes personnes, vous êtes autorisé à regarder une princesse mettre son rouge et se laver les mains ! Ensuite, les hommes sortent, mais les femmes restent pendant que je quitte mon négligé pour ma robe d'après-midi. Je dois m'habiller devant elles !

À midi, j'assiste à la messe avec le dauphin et le roi. Puis nous dînons en public, le dauphin et moi ; le repas est fini vers une heure et demie, car nous mangeons fort vite. De là je me rends dans les appartements de Louis-Auguste. En général pas plus d'une heure. J'essaie de lier conversation avec lui. Hier, j'ai même risqué une remarque sur les serrures ! Mais il n'est pas très loquace. Je n'abandonnerai pas. Je suis plus forte que lui, je le sais. J'en ferai mon ami.

L'après-midi, nouvelle visite aux tantes. L'abbé vient à quatre heures pour voir comment je me porte. Je mens et je réponds : « Très bien. » Le maître de chant et de clavecin arrive à cinq heures pour ma leçon. Puis je me repose, ou je me promène. Je n'ai pas le droit de sortir si je ne suis pas accompagnée d'au moins dix dames de ma maison. À sept heures, je retourne chez les tantes pour jouer aux cartes jusqu'à neuf heures, après quoi nous nous rendons au souper du roi. S'il soupe seul avec la du Barry (je ne peux vraiment pas la supporter : elle est tellement satisfaite d'elle-même et elle étale sa poitrine d'une façon si inconvenante...), nous devons l'attendre jusqu'à onze heures pour lui souhaiter la bonne nuit. Je me place ordinairement sur un grand canapé, où je m'endors...

5 juin 1770

J'ai réussi à persuader l'une de mes chambrières d'amener avec elle, de temps en temps, sa petite fille de quatre ans. Et le dauphin a demandé à son premier valet s'il permettrait à son fils, qui a cinq ans, de venir me voir. J'adore les enfants ! Ces deux-là sont très vifs. J'aurais vraiment aimé apporter à Versailles le théâtre mécanique de Titi. Ce serait si amusant ! Les deux bambins jouent avec Schnitzy et ont entrepris de lui apprendre des tours. Parfois, nous sortons dans les jardins. Je suis choquée de voir à quel point ceux-ci sont mal entretenus. Ils sont loin d'être aussi beaux qu'à Schönbrunn, et il serait impossible de se promener pieds nus dans les fontaines, car de nombreux bassins sont cassés et remplis d'eau croupie.

6 juin 1770

Mme Campan m'a rendu visite aujourd'hui. Comme j'aime cette femme ! Je lui ai demandé si elle pourrait lire pour moi et elle a accepté. Je trouve que c'est une très bonne idée, car maman m'a bien recommandé, avant mon départ, et dans ses lettres, de continuer à lire des ouvrages propres à m'instruire et à m'élever l'esprit. Je ne dois, cependant, rien lire que l'abbé n'approuverait pas.

8 juin 1770

Je vois Mme du Barry presque tous les soirs. Plusieurs fois par semaine, on donne un divertissement musical, ou l'on joue aux cartes. Je l'évite. L'étiquette ne l'autorise pas à me parler tant que je ne lui ai pas adressé la parole. Jusqu'ici, j'ai réussi à m'en abstenir, et je compte bien continuer. C'est bien la seule chose pour laquelle la comtesse de Noailles ne m'a jamais réprimandée ! Si la du Barry n'était pas en cause, elle m'aurait reproché de ne pas avoir prononcé au moins la formule de salutation la plus anodine : « Ce temps-ci vous convient-il ? » s'il n'y a ni pluie, ni soleil. S'il pleut, ou si le soleil brille : « Que pensez-vous du temps qu'il fait ? »

18 juin 1770

Bénie soit Mme Campan. Elle m'a montré quelque chose de tout à fait extraordinaire et de très précieux. Mes appartements possèdent un escalier dérobé qui conduit à d'autres pièces ! Des chambres que je peux utiliser pour moi, et moi seule. De cette manière, je pourrai trouver un peu d'intimité. Ces « petits appartements » ont été conçus et utilisés par la reine Marie Leczinska. Mais il semble que tout le monde ait oublié de m'en parler. Mme Campan dit qu'ils ont fait exprès d'oublier, pour m'obliger à rester continuellement sous l'œil du public. Eh bien, tout cela est fini ! Ces pièces sont délabrées et sentent le renfermé mais, si on pouvait les nettoyer, les rafraîchir et les peindre, et y installer de nouveaux meubles — oh, comme ce serait charmant ! On dit que Versailles est un palais de plus de mille fenêtres, et j'ai l'impression qu'elles me regardent toutes mais, dans ces appartements privés, je me reposerai loin du terrible regard de la cour. J'ai l'intention d'en parler tout de suite à Louis-Auguste.

20 juin 1770

Je déteste le gouverneur du dauphin, le duc de La Vauguyon. C'est un arrogant et un dissimulateur et je suis sûre que, lorsque j'envoie un billet au dauphin pour le rencontrer à d'autres moments que ceux prescrits par l'étiquette, il ne transmet pas mes messages. Il est très proche de la du Barry. Entre ces deux-là se meut, dans l'ombre, tout un réseau d'espions. Je suis sûre que mes messages sont interceptés et lus. Cela fait trois jours que j'essaie de voir le dauphin pour lui parler de l'aménagement des petits appartements, mais il n'est jamais disponible. Il est, selon l'étiquette, très mal vu d'aborder ces sujets pendant les repas, quand on joue aux cartes, ou dans l'un des grands salons, et Louis-Auguste ne s'est pas rendu chez ses tantes ces derniers jours. Je ne sais pas quoi faire...

21 juin 1770

Mme Campan est décidément une femme d'esprit et d'audace... Elle déteste le duc de La Vauguyon autant que moi et m'a fait une brillante suggestion. Trois matins par semaine, nous devons assister au Grand Lever, ou lever du roi. À cette occasion, tous les membres de la famille royale se trouvent rassemblés, ainsi que le médecin et le chirurgien, les ministres du cabinet, le grand chambellan, le grand maître et le maître des robes, et le premier valet des robes. Le roi est en fait levé depuis au moins une heure, afin de pouvoir utiliser sa chaise percée mais, même là, il n'est pas seul. Le médecin est avec lui ainsi que le chambellan chargé de ces besognes. Mais, au moment où nous arrivons, il est de retour au lit et les rideaux sont tirés. Le premier gentilhomme de la chambre à coucher va jusqu'au lit et ouvre les rideaux. Tout le monde applaudit quand le roi apparaît : il faut montrer qu'on est heureux qu'il ne soit pas mort pendant la nuit. Alors plusieurs valets s'approchent du lit pour lui présenter les vêtements qu'il portera ce jour-là, et le maître perruquier s'avance avec un choix de postiches. Enfin, le roi se lève et va s'asseoir dans un large fauteuil, près d'une fenêtre. Le premier chambellan lui retire son bonnet de nuit. Un autre ses pantoufles. Et cela dure et dure... Les courtisans rivalisent pour une place au premier rang. Comme Mme Campan est une grande amie de l'un des chambellans, elle est toujours bien placée. Elle m'a proposé de remettre secrètement un message au dauphin. Il faut dire que les yeux de La Vauguyon ne sont jamais fixés sur Mme Campan. Ils ne cessent de me surveiller, ainsi que le dauphin. À la cérémonie du lever, ils ne quittent pas le roi.

Pourvu qu'elle réussisse !

22 juin 1770

Notre petite ruse a eu d'heureux effets. Le dauphin m'a fait appeler dans l'heure qui a suivi la remise de mon billet. Mme Campan pense à tout : juste avant que je quitte mes appartements, elle m'a glissé dans la main le petit verrou de l'une de mes cassettes à bijoux. Il était cassé et ne fonctionnait plus correctement. Elle m'a conseillé de le porter à Louis pour lui demander s'il pouvait le réparer. C'était une idée brillante mais, pour dire vrai, je crois que tout se serait bien passé, même sans cela. D'ailleurs, je n'ai montré le verrou à Louis qu'à la fin de notre entrevue. Mon époux a été très fâché d'apprendre que je lui avais écrit tant de fois. Il a très maladroitement pris ma main dans les siennes, moites, et il m'a dit ceci :

– Ma chère, je suis sincèrement désolé.

À ce moment précis, j'ai oublié ses boutons et ses yeux de myope. Je lui ai ensuite parlé des pièces privées qui sont reliées à mes appartements. Il était extrêmement surpris que personne ne m'en ait parlé.

– J'ai ma forge pour travailler sur mes serrures et échapper à la cour. Il faut absolument que vous ayez un endroit pour vous seule.

Il va immédiatement ordonner d'en rafraîchir la décoration. Quand il a parlé de la forge, je me suis rappelé le verrou que j'avais apporté.

Louis-Auguste était vraiment ravi !

Au cours de la conversation, j'ai évoqué Mme Campan et je lui ai confié à quel point elle m'était chère et à quel point j'aimerais qu'elle devienne l'une de mes dames. Mais je lui ai assuré ne vouloir à aucun prix offenser sa tante Victoire, à qui elle fait la lecture. Louis m'a alors dit :

– Je vais parler à ma tante. Je suis sûr que nous pourrons trouver un arrangement, ma chère.

Puis il s'est penché vers moi, car nous étions seuls, et je crois qu'il était sur le point de m'embrasser, quand il s'est soudain rejeté en arrière.

– Qui est là ? a-t-il demandé.

Ses yeux de myope se sont plissés davantage encore. En un éclair, il s'est relevé du canapé où nous étions assis, a traversé la pièce en deux enjambées et a ouvert la porte à la volée. Le duc de La Vauguyon est tombé dans la pièce.

– Scélérat ! s'est exclamé le dauphin.

Il est devenu cramoisi : on aurait dit qu'il s'était en un instant transformé en une massive tour de feu. Le duc luttait pour se relever.

– Je vous en prie... je vous en prie... bégayait-il.

– Dehors ! Dehors ! rugissait Louis-Auguste.

Que dire ? Je suis enchantée de cette entrevue. Le dauphin m'a promis qu'il m'enverrait des ouvriers dès demain, et que le tapissier royal viendrait avec des échantillons pour les murs et les rideaux. J'adorerais faire couvrir mes murs de soie vert pomme. Et je prie pour que Mme Campan puisse devenir l'une de mes dames. J'ai hâte d'écrire à maman ce soir. Ce sera la première lettre dans laquelle je ne serai pas obligée de mentir.

25 juin 1770

J'ai peur que Victoire ne veuille pas laisser Mme Campan entrer à mon service. Ces filles du roi sont si étranges... Sophie, celle qui est laide, a une peur bleue des orages. Dès que le tonnerre gronde, des gardes spéciaux sont envoyés à ses appartements, et un médecin doit l'endormir avec une décoction de coquelicots pour calmer ses nerfs.

Puis il y a Adélaïde, qui est très hautaine et distante. Je crois que j'ai de la chance que Mme Campan ne soit pas sa lectrice... Et, enfin, il y a Victoire. Quand elle ne se fait pas faire la lecture, elle prie. Quand elle ne prie pas, elle mange et, quand elle ne mange pas, elle joue de la cornemuse. Elle fait la plus grande partie de tout cela sur son sofa. Elle ne bouge pas beaucoup. Elle est par conséquent très grosse, mais très gentille. J'adore Victoire.

26 juin 1770

Je suis sortie deux fois à cheval avec le dauphin et, mieux encore, il m'a emmenée dans sa forge ! Aujourd'hui, je suis restée assise tranquillement pendant qu'il travaillait sur le petit verrou de la cassette à bijoux, avec le serrurier royal et son professeur, M. Gaman. La forge est un endroit étrange, très différent de tout le reste de Versailles, encombré d'enclumes et de sombres et lourds outils en fer. Il y a des limes et des marteaux, des clefs, des serrures à gorge et des verrous dispersés partout. J'ignore la moitié des noms des objets que je vois autour de moi. Louis-Auguste est assis sur un tabouret haut. Son derrière dépasse des bords. Il porte un tablier en cuir et louche sur les mécanismes du verrou. Pour moi, c'est comme une langue étrangère. Mais cela m'est égal, car je crois que je deviens moi-même un serrurier du cœur et que, peut-être grâce à ma patience et à ma bonne humeur, je suis en train d'ouvrir le cœur de Louis-Auguste.

2 juillet 1770

Mme Campan va devenir l'une de mes dames ! Je suis vraiment très impatiente. Victoire a dit qu'elle ne s'y opposait pas tant que son ancienne lectrice pouvait lire pour elle une heure chaque matin et chaque après-midi. Je suis, bien sûr, la bienvenue à ces séances. Je lui suis si reconnaissante que j'ai demandé à Victoire de bien vouloir nous faire un soir l'honneur d'un concert de cornemuse. Elle était aux anges ! Adélaïde et Sophie m'ont lancé un regard lourd de reproches.

5 juillet 1770

Juste au moment où je croyais que tout allait bien, il a fallu que quelque chose de désagréable m'arrive. Du moins, il me semble. Peut-être, après tout, ai-je mal entendu... Je prie pour que cela soit le cas. Nous étions tout juste sortis du lever du roi et entrés dans le salon de l'Œil-de-Bœuf. Drôle de nom, mais c'est le roi qui l'a appelé ainsi, à cause d'une grande fenêtre ovale qui se trouve à un bout de la pièce. Comme je passais près d'une très bonne amie de la du Barry, j'ai cru entendre proférer une affreuse insulte : « L'Austrichienne ». C'est un très méchant jeu de mots !

7 juillet 1770

J'avais bien entendu ! Le duc de Choiseul, vieil ami de maman et Premier ministre du roi, qui avait ouvert les négociations pour mon mariage avec le dauphin, s'est attardé à ma toilette ce matin. Il m'a informée que l'opinion de la cour est en train de changer et qu'elle se monte contre moi. Je n'arrivais pas à comprendre pourquoi.

– La politique, a-t-il répondu.

Tout cela est si compliqué ! Il m'a appris que certains s'étaient dès le départ opposés au mariage. Ils espéraient, comme le dauphin paraissait m'ignorer, que notre union serait vouée à l'échec. Maintenant, ils ont compris que nous nous sommes rapprochés ces deux dernières semaines, et ils sont très ennuyés. Beaucoup de ces gens-là sont des amis de la du Barry. La favorite a peur que je prenne trop d'influence sur le roi. Quant à Choiseul, c'est lui-même un ennemi juré de la du Barry. Pour le bien de la France, il voulait conclure une alliance franco-autrichienne. Ainsi, il serait sûr que maman ne joindrait jamais ses forces à celles de la Russie ou à celles de son vieil ennemi, Frédéric de Prusse.

– Le Monstre ! me suis-je exclamée. Jamais !

Le duc de Choiseul m'a appris qu'il était lui-même en grand danger. Le roi lui bat froid car il connaît son sentiment sur Mme du Barry. Il a ajouté que lui et moi serions peut-être amenés à faire quelques concessions pour garder notre position à la cour. Le roi, paraît-il, est extrêmement mécontent que je n'aie toujours pas adressé la parole à sa favorite.

– Mais elle est si grossière, si vulgaire ! Maman n'approuverait pas que j'adresse la parole à une femme pareille.

L'ombre d'un sourire est passée sur le visage de Choiseul.

– Pour le bien de l'empire, elle vous demanderait de le faire.

Ses mots m'ont foudroyée.

11 juillet 1770

Le comte Mercy, l'ambassadeur de maman, est à la cour. Je le vois beaucoup. Je ne me suis pas encore décidée à lui parler franchement de la du Barry. Faut-il que je lui adresse la parole, ou non ? Lui-même n'a pas soulevé la question. Peut-être n'est-ce pas une affaire aussi importante que le pense Choiseul.

12 juillet 1770

Je pense sans cesse à cette situation avec la du Barry. J'ai écrit à ma mère à ce sujet : je lui ai expliqué que le roi m'avait témoigné mille gentilles attentions. C'est lui qui fournit personnellement les meubles de mes pièces privées. Mais j'ai confié à maman que je trouvais son attirance pour la du Barry pitoyable. Le roi déverse sur elle tant de bijoux qu'elle a du mal à trouver de nouveaux endroits sur son corps pour les arborer. J'ai remarqué hier soir, au jeu, qu'elle portait des rubis aux talons de ses chaussures ! Je ne peux pas la supporter ! Est-ce que maman pense vraiment que je devrais lui parler ? C'est ce que je lui ai demandé.

Mais maintenant je m'inquiète à cause de cette lettre. Les espions abondent ici à la cour. Il serait aisé de l'intercepter.

Dieu merci, je peux me réfugier dans mes petits appartements. Je m'y tiens souvent avec Schnitzy et Mme Campan, quand elle en a le temps.

18 juillet 1770

Je me suis liée d'amitié avec la comtesse de Grammont, l'une de mes dames d'honneur. C'est une parente de Choiseul, et elle est des plus douces et des plus gentilles. Elle a été un temps la gouvernante des jeunes sœurs du dauphin, Clothilde et Élisabeth. Souvent, les petites filles viennent la voir chez moi et nous jouons ensemble. J'ai décrit à la comtesse le théâtre mécanique de Titi et elle pense qu'elle pourra en trouver un pour nous à Paris. Comme ce serait merveilleux !

20 juillet 1770

J'ai suivi la chasse royale aujourd'hui, et je me suis bien amusée. Mon maître d'équitation, Herr Francke, aurait une attaque. La plupart du temps, je ne suis pas à cheval, mais sur un âne ! Parfois je prends place dans une voiture. J'emporte toujours avec moi un grand sac de gâteries à distribuer aux enfants et aux personnes âgées dans les villages que nous traversons. Et la comtesse de Noailles ne décolère pas.

Aujourd'hui, j'ai donné une boîte de biscuits à une troupe de petits enfants sales. La comtesse est restée plantée là, à bouillir de rage. J'étais folle de joie ! Elle a presque une attaque de nerfs quand je prends mes bas directement dans le panier de la seconde dame d'atours, alors il est facile d'imaginer ce qu'elle a pu ressentir quand j'ai touché ces petites mains crasseuses — l'un des enfants venait de se fourrer les doigts dans le nez ! Je ne vis que pour ces moments-là.

23 juillet 1770

Mes petits appartements sont presque terminés. Les pièces sont vraiment charmantes, avec des moulures blanc et or et de la soie vert pomme sur les murs. Le soleil y entre à flots. Là, je peux être vraiment moi-même. J'ai le loisir de me rappeler l'été dernier, l'été le plus heureux de toute ma vie. Ah, la nuit où nous sommes allées nous promener pieds nus dans les fontaines, Titi, maman et moi ! On dit que les Français sont joyeux, mais je crois que c'est une fausse joie. Ils ne savent pas vraiment s'amuser. Même si leurs fontaines étaient propres et bien entretenues, ils n'iraient jamais y barboter pieds nus, à la clarté de la lune. Leur stupide étiquette le leur interdirait.

24 juillet 1770

Mme Étiquette va finir par tomber raide morte à cause de mes bévues. Aujourd'hui, par exemple, j'ai remarqué, pendant que nous recevions dans le salon officiel, que la comtesse avait l'air particulièrement gênée. Elle se crispait nerveusement et ne cessait de me dévisager en clignant des yeux. Au bout d'un quart d'heure de ce manège, Mme Campan m'a chuchoté :

– Vos barbes de coiffe, Votre Altesse.

Les deux bandeaux de dentelle de ma coiffure, qui doivent être relevés quand je reçois des membres de l'aristocratie, pendaient sur mes épaules. On aurait dit que j'étais toute nue ! Non, ce n'étaient que ces stupides rabats de dentelle qui cachaient mes oreilles. Je me suis excusée un instant, et j'ai demandé à ma seconde dame d'atours de les rattacher immédiatement. Elle va se faire réprimander par la comtesse pour avoir oublié. Mais que c'est bête ! Dans mon esprit, il était beaucoup plus grossier d'abandonner brusquement mes invités que de garder mes barbes de coiffe détachées. Je méprise cette étiquette infantile et idiote.

1er août 1770

Maman m'envoie encore une liste de recommandations. Dans chaque lettre, elle me répète : « Essayez de vous meubler l'esprit de bonnes lectures. » Et maintenant elle m'enjoint d'éviter les romans d'amour. Ce qui me conduit à penser que l'impératrice a demandé à quelqu'un de lui rapporter tout ce que je fais. Je pense que c'est le comte Mercy, parce qu'il est à Versailles en permanence. Elle trouve aussi que je devrais consacrer plus de temps aux Autrichiens qui sont ici, à la cour, et que je joue trop souvent aux cartes avec Victoire, Sophie et Adélaïde. Elle me met en garde contre cette dernière et m'écrit aussi que je monte trop souvent à cheval ! Alors, je te le demande, cher journal, comment sait-elle toutes ces choses-là ? Quelqu'un doit lui écrire ! C'est certainement Mercy. Mais pas un mot sur la du Barry...

5 août 1770

J'ai remarqué aujourd'hui, pendant le repas, à quel point les mains du roi tremblent. J'ai entendu des rumeurs selon lesquelles il a souffert d'apoplexie, même si personne n'en parle jamais ouvertement. Il a presque soixante ans.

12 août 1770

Je suis hors de moi ! La comtesse de Grammont, l'une de mes dames d'honneur préférées, a été chassée de la cour. Bannie ! Il faut dire que c'est une ennemie de la du Barry, et que celle-ci la hait. Un soir, lors d'une représentation au théâtre, la comtesse ne s'est pas écartée assez vite pour faire place à la favorite. La du Barry a pris cela comme une insulte, et s'est immédiatement rendue auprès du roi pour se plaindre.

La comtesse de Grammont est charmante et très belle, et la du Barry sait que c'est l'une de mes plus chères compagnes. C'est aussi une parente de Choiseul, ce qui laisse penser que la du Barry tente ainsi d'influencer le roi. Mais Louis XV a eu tort de bannir ainsi l'une des dames de ma maison sans même m'en avertir. Louis-Auguste partage ma colère, car il sait à quel point je tiens à elle. Mon époux a eu une très bonne idée : il pense que nous devrions discuter de cette situation avec le comte Mercy. Je trouve que c'est merveilleux. J'adore l'idée que le dauphin et moi ayons tous les trois, avec l'ambassadeur d'Autriche à la cour de France, une entrevue des plus sérieuses, où nous serons entendus et où nous pourrons exprimer notre opinion. C'est un signe de maturité.

15 août 1770

Nous avons rencontré Mercy. J'étais extrêmement fière du dauphin, qui a montré beaucoup de clarté et de détermination. Nous avons discuté dans mes appartements privés, car nous redoutions d'être espionnés par le gouverneur du dauphin, le duc de La Vauguyon. Mercy m'a conseillé de me rendre directement auprès du roi et de lui rappeler, avec gentillesse, l'étiquette en ce qui concerne le fait de renvoyer l'une des dames de la maison de la dauphine — car c'était effectivement une faute de ne pas m'en avoir informée au préalable.

18 août 1770

Gagné ! J'ai vu le roi. D'abord, j'ai cru qu'il rejetterait ma supplique. Mais j'ai usé de tous mes charmes. Il adore quand une femme joue avec ses cheveux. J'avais demandé exprès à mon coiffeur de laisser tomber une longue boucle sur le creux de mon épaule. J'ai commencé à l'enrouler sur mon majeur et j'ai vu les yeux du roi se river à ma main. J'ai alors laissé couler quelques larmes.

– Mais, Sire, l'ai-je imploré, en dehors de toute considération d'humanité ou de justice, pensez à quel point je serais affligée si l'une des dames de ma maison venait à mourir en votre disgrâce, la disgrâce du bannissement...

Cet argument a achevé de le convaincre, et il accepte de faire revenir la comtesse de Grammont.

23 août 1770

Aujourd'hui, c'est l'anniversaire du dauphin. Il a seize ans. Je lui ai brodé une veste. Cela m'a demandé beaucoup de travail, mais Mme Campan et la comtesse de Grammont m'ont aidée. J'ai également parlé au serrurier royal et obtenu quelques outils qui, selon lui, plairont au dauphin qui les convoitait depuis longtemps.

Le festin d'anniversaire aura lieu ce soir. Je le redoute. Trois mille personnes sont invitées à nous regarder manger ! J'aimerais vraiment que seuls le dauphin et moi, et peut-être quelques-uns de nos amis préférés, puissions partager un petit souper dans mes appartements. Ce serait si charmant ! Nous pourrions inviter Victoire et Sophie. J'imagine qu'il faudrait aussi convier Adélaïde, Mme Campan, l'abbé de Vermond et la comtesse de

Grammont. Et, bien sûr, des enfants — Élisabeth et Clothilde, et les deux petits qui viennent jouer ici. Nous pourrions jouer à tous les jeux qui étaient, à Schönbrunn, de tradition pour les anniversaires ! Colin-maillard. Accrocher la queue de l'âne. Personne ici ne sait s'amuser. Tout n'est qu'étiquette. Nos vies sont une représentation perpétuelle. Nous ressemblons, en un sens, à ces poupées que l'on manie et que l'on fait danser dans un monde irréel — souvent avec des intentions cruelles et trompeuses.

27 août 1770

J'ai fait un rêve horrible, il y a deux nuits de cela. Je n'ai pas réussi à m'en souvenir dans le détail avant aujourd'hui, mais je savais néanmoins qu'il était épouvantable. Vous souvenez-vous du jour où la poupée est tombée de mon bureau à la Hofburg, en janvier dernier ? Sa tête s'était brisée. Dans mon rêve, j'ai entendu le fracas et je me suis levée pour tenter de rassembler les morceaux. Alors que je les recollais, j'ai vu que le visage de la poupée n'était plus le même — toutes les poupées de Mme Bertin ont le même visage — cette fois, c'était le mien. J'ai ensuite entendu un rire effrayant. J'ai regardé autour de moi : c'était la du Barry. C'est tout ce dont je me souviens. Depuis deux jours, je ne suis pas dans mon état normal, à cause de ce rêve.

28 août 1770

J'ai décidé d'organiser comme je l'entendais ma propre fête d'anniversaire pour le dauphin. Je me suis dit : après tout, pourquoi ne pas donner un petit souper très privé et inviter tous ces gens que nous aimons vraiment, lui et moi ? Puis j'ai eu une bien meilleure idée : pourquoi ne pas préparer plutôt un charmant pique-nique comme ceux que nous faisions à Schönbrunn ? Je pense qu'il faudrait aller dans les bosquets, les parties les plus secrètes des jardins et du domaine de Versailles. Dans les bosquets, il y a des douzaines de chemins qui serpentent à travers de petits groupes d'arbres, des fontaines et des bassins naturels. Il y a là des clairières ouvertes qui ressemblent à des chambres de verdure et qui seront parfaites pour pique-niquer.

30 août 1770

Louis-Auguste a adoré la fête d'anniversaire que j'ai organisée pour lui. Il a été tout à fait surpris. Je m'étais arrangée avec son valet et son premier écuyer pour qu'en fin d'après-midi, ils passent là à cheval, sous un prétexte quelconque. Imaginez sa surprise quand il nous a trouvés tous réunis, avec une table couverte de nourriture, de magnifiques pâtisseries, de vin et de champagne ! Mais je crois qu'il a été particulièrement ravi quand je lui ai montré qu'à Schönbrunn nous nous asseyions pour manger notre repas sur une tapisserie étalée à même le sol. Il a trouvé que c'était la chose au monde la plus merveilleuse et n'a pas arrêté de qualifier cela « d'invention », comme s'il s'agissait d'un instrument scientifique, un télescope, une magnifique horloge ou, peut-être, une nouvelle sorte de serrure. Puis il a été à la fois abasourdi et enchanté quand j'ai enlevé chaussures et bas en annonçant que j'allais marcher pieds nus dans le courant ! Il n'avait encore jamais entendu parler de ce genre de choses ! Vous vous rendez compte ? Alors je lui ai donné sa première leçon de « pieds dans l'eau »... Il m'a regardée avec le genre de respect que je pouvais avoir pour Herr Francke quand je le voyais chevaucher un étalon et exécuter l'un des sauts d'école les plus difficiles. Il a fallu que je répète :

– C'est juste se mettre pieds nus dans l'eau, Louis. Les pieds dans l'eau !

Eh bien, voilà au moins un Français auquel j'apprendrai à s'amuser !

31 août 1770

Le roi a fait une attaque d'apoplexie aujourd'hui. On a prétendu que c'était à cause de la chaleur, qu'il s'était trop dépensé en chassant. Mais il ne fait pas si chaud que cela...

4 septembre 1770

L'histoire de ma petite fête d'anniversaire pour le dauphin s'est ébruitée. Beaucoup ont bien sûr été follement jaloux de ne pas avoir été invités. Mais ils auraient été scandalisés d'avoir à s'asseoir par terre pour manger et auraient refusé de se mettre pieds nus dans l'eau. Tout le monde, sauf la comtesse de Noailles et Adélaïde, a barboté (j'ai bien été obligée de convier la comtesse). Même Victoire et Sophie nous ont imités !

6 septembre 1770

Ce soir, il y avait grand salon de cartes, ce qui veut dire que des centaines de personnes jouaient, assises à des tables. La du Barry s'est fait un devoir de se mettre sur mon passage. Il était hors de question que je lui parle. J'ai tout simplement regardé à travers elle, comme à travers la vitre d'une fenêtre.

10 septembre 1770

Cette cour aux manières et à l'étiquette irréprochables s'amuse à élaborer de méchants vers sur les personnes qu'elle déteste. La comtesse de Noailles a tenté de me préserver de ce genre de « poésie », mais j'ai eu vent de quelques bribes et j'ai finalement entendu le poème en entier : j'ai obligé ma seconde dame d'atours à me le répéter. Voici ces vers. Ils illustrent bien le talent de la du Barry et de ses partisans :

Elle a les yeux bleus
elle a les cheveux blonds
elle a la bouche rose
mais son haleine pue
la choucroute et le pâté de foie.
Maudite soit l'Austrichienne !

Chantal, ma seconde dame d'atours, était bouleversée, au bord des larmes. Puis elle m'a demandé :

– Votre Altesse, pourquoi n'inventez-vous pas, à votre tour, quelques vers sur la du Barry ? Je suis sûre qu'avec un peu d'aide, vous arriveriez à trouver quelque chose de vraiment méchant, vous aussi !

– Je le pourrais, mais je ne le ferai pas, lui ai-je répondu. Je ne m'abaisserai pas au niveau de Mme du Barry. Jamais !

Alors Chantal, qui est toute petite, m'a regardée, ses yeux noirs pleins de lumière.

– Vous, vous êtes une vraie dame, Votre Altesse. Une vraie dame !

J'ai compris que ces quelques mots étaient aussi précieux que le plus beau des bijoux que le roi m'a offerts. Être aimé de ses serviteurs, être admiré de ceux qui vivent à vos côtés jour après jour, là est le signe de la vraie noblesse. Je crois qu'aujourd'hui maman serait fière de moi.

12 septembre 1770

Pauvre comtesse de Noailles ! Je sais bien, cher journal, que tu ne pensais pas un jour trouver sous ma plume ce genre de formule de compassion pour Mme Étiquette. Mais elle est entrée en trombe dans mes appartements ce matin, le visage barbouillé de larmes et ravagé de remords. Elle venait d'apprendre que j'avais obligé Chantal à me répéter les vers ignominieux qui courent sur mon compte. Elle m'a attirée dans ses bras :

– « Ma pauvre ! Ma pauvre !» Ma pauvre enfant ! Ma pauvre enfant !

Elle m'a ensuite expliqué que tout cela n'était que des mots, et que seule une femme comme la du Barry pouvait inventer des choses pareilles, à moins qu'elle n'ait autorisé l'une de ses dames de compagnie ou l'un de ses stupides admirateurs à s'en charger pour elle.

Chantal lui a appris que j'avais refusé de composer des vers de mon cru. Elle aussi m'a assuré que j'étais une vraie dame et que je portais, elle le comprenait maintenant, une étiquette spéciale dans la peau ! Ou, comme elle l'a dit, « la caque sent toujours le hareng », ce qui veut dire : « il n'y a pas loin de l'arbre au fruit ». C'était la première fois que la comtesse se comportait comme un être humain !

15 septembre 1770

Aujourd'hui, j'ai travaillé dans la forge avec le dauphin. Il m'a montré comment nettoyer et huiler les gorges d'un certain type de serrure. Je n'ai pas trouvé ce travail très intéressant. Ce que j'ai trouvé plus agréable, c'était d'être là, assise sur un tabouret près de Louis, et de lui parler, tout simplement. Il m'a expliqué qu'il aimait les serrures parce qu'elles sont autant d'énigmes à résoudre. Qu'il y a tellement de choses incompréhensibles dans ce monde... Puis il a dit quelque chose d'extraordinaire :

– Avant que vous n'arriviez ici, ma chère, je n'avais jamais réfléchi à ce que c'était que la cour, sa signification. Maintenant, je la méprise.

J'étais bouleversée. Mes yeux se sont emplis de larmes. Alors il s'est empressé d'ajouter :

– Non, non, chère Toinette, ne vous méprenez pas. La cour n'est qu'hypocrisie, et c'est pour cela que j'ai passé toutes ces années à travailler à mes serrures ou à chasser. Néanmoins, je ne m'étais jamais vraiment rendu compte que c'était pour cette raison, jusqu'à ce que je vous rencontre. Vous m'avez aidé à voir la cour telle qu'elle est vraiment. J'ai vu à quel point vous étiez douce et franche, combien vos manières étaient agréables. J'ai perçu votre véritable désir de me connaître, et j'ai compris que c'est par cette connaissance de l'autre que vous l'honorez. Mais je n'avais jamais compris tout cela et, maintenant que vous le rendez pour moi clair comme de l'eau de roche, je n'aime pas du tout ce que je vois.

J'étais stupéfaite, mais reconnaissante pour ces paroles. Elles me mettent tout de même mal à l'aise, car il n'est pas agréable d'être la cause du malheur ou du désagrément de quelqu'un. Il a encore beaucoup parlé de la du Barry, pour dire à quel point il la déteste, mais aussi pour expliquer qu'il en a assez de ses tantes et de leur façon d'épingler les gens, leur « médisance », comme il dit. Il m'a confié qu'Adélaïde était la pire des trois, et qu'elle lui parlait constamment de ses boutons. Puis il a laissé échapper :

– Toinette, mes boutons sont affreux. J'aimerais tellement ne pas en avoir !

J'ai réfléchi un instant avant de parler, et il a dû le remarquer, car j'ai l'habitude de me mordre la lèvre inférieure quand je réfléchis. En effet, je ne savais pas à quel point je pouvais être directe avec lui.

– Qu'est-ce qu'il y a ? a-t-il supplié.

J'ai fini par répondre :

– Louis, pour vous débarrasser de vos boutons, il faut boire du lait d'ânesse et, le soir, vous laver le visage avec de l'eau de lavande et vous appliquer un onguent de camphre et de clous de girofle mélangés avec de l'huile d'hysope.

Il m'a été extrêmement reconnaissant et a fait appeler son apothicaire sur-le-champ.

17 septembre 1770

Chaque jour, Louis et moi passons davantage de temps ensemble, soit dans sa forge, soit dans mes appartements privés. Je vois bien que cela dérange énormément son gouverneur, parce qu'il ne peut pas nous espionner à son aise. C'est vraiment un homme dégoûtant.

20 septembre 1770

Je remarque déjà une amélioration sur le visage du dauphin. Nous sommes tous les deux très contents. S'il pouvait ne pas trop grossir... Mais Louis aime vraiment trop manger.

25 septembre 1770

Je suis très inquiète. La comtesse de Noailles a été appelée chez le roi, en audience privée. Je suis sûre que cela concerne la façon dont je me comporte envers la du Barry. Je n'aime pas du tout l'idée que ce soit à la comtesse de porter ce fardeau-là. Pourquoi le roi ne me fait-il pas venir, moi ?

Joué aux cartes avec les tantes. Depuis que Louis m'a confié à quel point il en avait assez de leur médisance, de leur façon d'épingler les gens, je trouve aussi cette habitude assez agaçante. Elles ne font jamais l'éloge de personne. C'est à se demander quels commentaires elles font à votre propos une fois que vous êtes sorti de la pièce !

26 septembre 1770

Eh bien, j'avais raison ! Le roi a convoqué la comtesse de Noailles pour critiquer la manière dont je traite la du Barry. Il dit que mon attitude ne pouvait manquer d'avoir, selon lui, « des conséquences néfastes dans le cercle intime de la famille ». Bien sûr, tout cela est ridicule : toute la famille royale méprise cette femme, sauf lui.

27 septembre 1770

Il ne faut pas longtemps aux nouvelles pour circuler, ici. Les tantes connaissent toutes le détail de la rencontre entre la comtesse et le roi. Elles m'ont aussitôt invitée dans leurs appartements. Elles avaient de longues listes de conseils à me dispenser. Elles ne veulent en aucun cas que je cède au roi. Adélaïde s'est faite bien grande pour quelqu'un d'aussi trapu ! Elle suffoquait :

– Ce serait un acte de trahison. Vous ne devez jamais adresser la parole à la du Barry. Et ne vous y trompez pas, Marie-Antoinette, elle vous hait autant que nous tous la haïssons. Il y a de nouveaux méchants vers qui circulent sur votre compte à la cour.

La comtesse de Noailles a étouffé un cri :

– Madame, est-ce bien nécessaire ? Je vous en prie, pour la tranquillité de cette enfant !

Adélaïde a alors presque craché :

– La dauphine n'est pas une enfant.

Ma tête s'est mise à tourner. Je ne sais plus vraiment ce que je suis. Suis-je une enfant ? Je suis l'épouse, mais plutôt l'amie de Louis-Auguste. Suis-je une femme ? Suis-je... ? Que suis-je ? Parfois je pense que je ne suis qu'un instrument qui, par pur hasard, ressemble à un être humain, mais qui sert les desseins de tous les autres. Je ne sais pas ce que je dois faire, ou ce que je dois être.

28 septembre 1770

La puanteur à Versailles est particulièrement insoutenable en ce moment. Je pense que c'est à cause du temps, chaud et humide pour la saison. Aujourd'hui, alors que nous nous rendions avec mes gardes et mes dames à la cérémonie du lever du roi, nous avons aperçu, près de la galerie des Glaces, un homme qui nous tournait le dos. On pouvait entendre couler le jet de son urine ! Mais plutôt que de s'arrêter pour le réprimander, tout le monde a détourné la tête et pressé le pas. Voilà ce que je veux dire quand je parle de l'hypocrisie ici, à Versailles. On considère comme une offense le fait que j'oublie d'attacher mes barbes de coiffe, mais croiser un homme en train de se soulager sur le sol en marbre d'un palais n'est qu'un incident banal de la vie de cour.

5 octobre 1770

La comtesse de Noailles est très fâchée contre moi. J'ai refusé de porter le corset à baleines qui est à la mode en ce moment. C'est très inconfortable, et j'ai depuis peu des maux d'estomac.

10 octobre 1770

J'ai entendu dire que la du Barry exige des appartements plus grands et plus luxueux, et que le roi a cédé à son caprice !

11 octobre 1770

Le comte Mercy m'a rendu visite aujourd'hui. À peine avait-il fait quelques pas dans le salon que j'ai compris, à son front fortement plissé, qu'il avait quelque chose de désagréable ou de difficile à me transmettre. Il a demandé à me voir seule. Je l'ai donc emmené dans mes appartements privés ; seules Mme Campan et la comtesse de Noailles nous ont suivis. Il m'a tendu une lettre du prince Kaunitz, le conseiller de maman en lequel elle a le plus confiance. Elle avait déjà été ouverte, puisqu'elle était adressée au comte Mercy. Cette missive insistait sur le fait que ne pas montrer la moindre civilité envers les gens que le roi a choisis comme membres de son cercle revenait à déroger, et que le choix d'un souverain régnant devait être respecté. Les mots auraient aussi bien pu être ceux de maman, mais elle a laissé Kaunitz s'exprimer à sa place. J'ai fait semblant de prendre la chose d'un cœur léger.

– Oui, oui, bien sûr, si la raison d'État l'exige, je parlerai à cette courtisane !

Mais, au plus profond de mon cœur, je sais que je ne le ferai pas. Et personne ne pourra m'y obliger.

14 octobre 1770

La nouvelle de la lettre de Kaunitz s'est répandue. Où que j'aille désormais, que ce soit à une représentation au théâtre de la cour, à une partie de cartes, ou à un médianoche dans les appartements du roi, un chemin qui mène droit à la du Barry s'ouvre d'un seul coup. Les courtisans s'écartent et, au bout de ce chemin, je vois apparaître cette créature avec ses grosses lèvres roses et ses épaisses boucles luisantes. Je regarde ces lèvres préparer un petit sourire de triomphe, puis je les vois trembler, car je me refuse à la regarder : je ne fais que regarder à travers elle, et je garde le silence.

15 octobre 1770

– Juste quelques mots de civilité, Votre Altesse. C'est tout ce que l'on vous demande.

Mercy me répète cela à peu près vingt fois par jour.

– Si vous osez adresser la parole à cette créature, sachez que vous ne serez plus la bienvenue ici ! me siffle Adélaïde, et Victoire, installée sur le sofa, tire un son aigu de sa cornemuse comme pour ponctuer la remarque. Tante Sophie se contente de me guetter du coin de l'œil, comme un lapin apeuré.

– Faites ce que bon vous semble, chère Toinette, dit le dauphin.

Et la comtesse de Noailles ferme les yeux et frissonne...

5 novembre 1770

J'ai été très malade ces trois dernières semaines. Je souffrais de l'estomac depuis un certain temps et, un soir, à la table de jeu avec Victoire, Sophie et Adélaïde, j'ai failli m'évanouir. L'apothicaire est venu, ainsi que le médecin et le chirurgien du roi, en plus des miens. Ils m'ont saignée deux fois. Les chirurgiens de ce pays sont loin d'être aussi habiles que ceux de Vienne, et ils ont massacré mon pied et ma cheville gauches, là où ils ont opéré la saignée. Mon pied me fait mal jusqu'à l'os de la cheville. J'ai été tellement malade que mon anniversaire est passé inaperçu. Mais j'ai maintenant quinze ans.

7 novembre 1770

Le comte Mercy a demandé à me voir dans mon lit de malade aujourd'hui. L'abbé de Vermond l'accompagnait. Quel choc en voyant leurs visages allongés et creusés, leurs tempes grises ! J'ai cru qu'eux aussi avaient été malades.

Ils sont allés droit au but. Mme du Barry est dans une colère noire. Ils soupçonnent ma maladie d'avoir été causée par un empoisonnement ! Ils m'ont informée que l'alliance franco-autrichienne est ébranlée, que ma mère est hors d'elle. Le comte Mercy lui-même a été réprimandé par le roi, à cause de son incapacité à me faire adresser la parole à la du Barry et — j'ai gardé le meilleur pour la fin — il est question de divorce !

Je serais alors renvoyée à Vienne, en disgrâce.

Je n'ai plus le choix. Je leur ai donc annoncé que je ne refuserais plus d'adresser la parole à la favorite, mais que je n'acceptais pas de le faire à une heure et à un jour déterminés à l'avance. Ce compromis a paru satisfaire le comte et l'abbé. Ils se rendront directement chez le roi. Heureusement, je suis toujours souffrante et mon pied est très endolori : cela me donne une excuse pour ne pas paraître en public pendant quelques jours encore.

15 novembre 1770

Je suis toujours au lit et des rafales de neige tourbillonnent devant ma fenêtre. Cela me rappelle Titi. Oh, comme elle me manque ! J'ai l'impression qu'hier encore, nous glissions sur le traîneau rouge vif, dévalant les pentes dans les bois. Nous mangions de la neige ! J'ai lâché cela à voix haute ce matin, pendant la visite du dauphin. C'est sorti tout seul ! Il s'est alors tourné vers moi, intrigué. Je lui ai raconté nos parties de traîneau — nous emportions parfois du sirop de mélasse que nous versions sur la neige. La neige et la mélasse se mélangeaient et nous nous régalions ! Les petits yeux de Louis-Auguste se sont écarquillés d'émerveillement. Mais j'étais aussi étonnée que lui.

– Vous ne jouiez donc jamais, Louis, quand vous étiez enfant ? lui ai-je demandé.

Il s'est contenté de secouer la tête.

Quel bonheur nous aurions connu, Louis-Auguste et moi, si nous étions nés dans une famille ordinaire ! Un garçon ordinaire et une fille ordinaire... Je nous vois vivant dans une petite ferme avec beaucoup d'animaux, et peut-être un pré qui s'étendrait jusqu'à la lisière d'un bois où nous irions cueillir l'asperge sauvage...

17 novembre 1770

J'ai feuilleté mon journal pour voir ce que je faisais l'année dernière à la même date. Elisabeth et moi prenions un chocolat chaud dans ses appartements. Comme ce monde chaleureux me paraît loin, dans le temps comme dans l'espace ! Regardez-moi aujourd'hui. Je me sens aussi faible qu'un chaton. Et cette affreuse femme qui veut me plier à sa volonté...

26 novembre 1770

Ma maladie connaît une rechute. Le roi doit être inquiet, car il m'envoie deux de ses goûteurs personnels pour tester ma nourriture, au cas où celle-ci serait empoisonnée. Maintenant, mon autre pied est endolori par la saignée.

27 novembre 1770

Un blanc manteau brillant recouvre les parterres et les jardins de Versailles. Les fontaines sont ouatées de neige et leurs statues coiffées de chapeaux neigeux. Aujourd'hui, je suis sortie pour la première fois depuis le début de ma maladie. Il m'a fallu insister, mais je ne pouvais rester enfermée plus longtemps. J'ai donc pris place dans une chaise à porteurs. Louis-Auguste serait bien monté dans la chaise avec moi, car elle a été fabriquée pour deux, mais notre poids aurait excédé les forces des deux porteurs, surtout pour marcher dans la neige ! Savez-vous ce qu'a fait ce cher garçon ? Il a marché à côté de la chaise. J'ai appris au cours de notre promenade une autre chose étonnante : Louis n'a jamais fait, ni même entendu parler, de boules de neige ! Alors j'ai demandé aux porteurs de poser la chaise. J'en suis sortie, et tout le monde a cru que j'étais devenue folle ! Je me suis baissée, j'ai ramassé une poignée de neige et je l'ai pressée fermement, comme nous le faisions à la Hofburg avec Ferdinand. J'ai visé une statue : en plein dans le mille ! Le dauphin n'en revenait pas ! Il n'en croyait pas ses yeux. Alors j'ai recommencé. Il rayonnait littéralement et s'est mis à piétiner la neige en une drôle de petite danse, tout en criant :

– J'ai la femme la plus merveilleuse du monde ! C'est l'être le plus doué, et le plus beau de toute la création divine !

J'ai ri tellement fort que j'en avais mal aux côtes. Je répétais :

– Louis, Louis, n'importe quel enfant de quatre ans peut faire cela !

Je lui ai promis que, dès que j'irais mieux, nous ferions une bataille de boules de neige.

3 décembre 1770

Le dauphin est venu ce soir dans mes appartements : il était bouleversé, car il venait d'apprendre que le roi avait banni le duc de Choiseul. C'est une très mauvaise nouvelle. Le duc était notre meilleur allié. Cela signifie que le camp de la du Barry a pris l'avantage et ce n'est pas bon. Je vous assure que Louis-Auguste avait les yeux humides. J'ai cru qu'il allait se mettre à pleurer pour de vrai. Je lui ai dit :

– Reprenez-vous, Louis-Auguste. C'est une attitude ridicule.

Il m'a avoué qu'il redoutait mon renvoi. Ils peuvent après tout nous faire divorcer. Je dois avouer que j'ai pensé, un très court instant : « Cela serait-il si désagréable ? » Je pourrais retourner à la Hofburg, à Schönbrunn... à une enfance éternelle. Puis j'ai vu le visage du pauvre Louis-Auguste, et je me suis reproché mon égoïsme. Je lui ai demandé de se calmer. Nous allons nous en sortir.

4 décembre 1770

J'ai fait la nuit dernière un rêve très étrange. Étrange, mais merveilleux. Au début, je marche à travers les couloirs de Versailles. J'entre dans la galerie des Glaces et, dans l'un des miroirs, je vois le reflet de la Gloriette, la magnifique petite maison de maman à Schönbrunn. Je m'approche du miroir. La glace devient alors molle et brumeuse, et je passe tout simplement à travers. Je me retrouve pieds nus sur la pelouse de Schönbrunn. Titi est là, ainsi qu'Elisabeth, Ferdinand et le petit François. Ils sont tous en train de jouer. Je crois qu'ils répètent une pièce qui doit être représentée au bal du soir. Je vais vers eux et je leur dis : « Je suis revenue. » Mais personne ne semble m'entendre. Ils regardent à travers moi. « C'est moi, Antonia ! Je veux jouer avec vous. Qu'est-ce que je peux faire ? » Encore une fois, personne ne m'entend. Alors je m'approche d'Elisabeth et je tire sur sa manche. Cette fois, elle se retourne, me regarde et me sourit à travers son voile. Quelque chose en moi me pousse à soulever son voile. Et le visage de ma sœur est magnifique. Pas une trace de petite vérole. Est-ce que ce n'est pas un rêve étrange ? Mais pourquoi est-ce que personne ne m'a reconnue ? Je me suis réveillée triste et heureuse à la fois, comme si j'avais vraiment été à Schönbrunn pendant un court instant.

8 décembre 1770

Ce soir, je retourne au spectacle, puis aux salles de jeu pour parier et jouer aux cartes. Il faut que je décide si j'adresserai ou non la parole à la du Barry.

9 décembre 1770

Je n'ai pas parlé à la favorite. Tout le monde s'attendait à ce que je le fasse ; j'ai donc décidé de les prendre par surprise et de choisir mon moment. Je le ferai, de toute manière...

1er janvier 1771

Cher journal, il est assez tard... La chose est faite : je lui ai adressé la parole. C'était à un petit bal. J'avais pris la résolution de lui parler ce soir : j'ai donc fait exprès de ne porter aucun bijou. Je voulais paraître on ne peut plus différente de la maîtresse du roi, dont la toilette ainsi que les cheveux ruissellent de pierreries. Je portais ma robe la plus simple, mais elle met bien en valeur ma taille et ma silhouette. En deux occasions, les courtisans ont dégagé un passage pour que je puisse approcher la du Barry, mais je n'ai profité ni de l'une, ni de l'autre. Je voyais bien qu'elle était furieuse et je voulais jouir à mon aise de sa déconvenue. Néanmoins, pendant une pause entre les danses, plusieurs personnes se sont groupées au centre de la salle et j'ai réussi à me glisser juste en face de la favorite. Tout le monde semblait fort alarmé de me voir là. Je l'ai regardée droit dans les yeux et je lui ai dit :

– Il y a bien du monde aujourd'hui à Versailles.

Comment décrire le jeu de sa physionomie ? D'abord, on aurait dit qu'elle avait reçu un tel choc qu'elle n'avait pas entendu mes paroles. Puis, elle a compris que tous ces mois d'attente n'avaient pas été vains, et un petit sourire de triomphe s'est lentement dessiné sur son visage. Son regard a brillé d'un dur éclat, assorti à celui des diamants sur sa gorge. Puis cet éclat a vacillé, et j'ai compris : la du Barry savait qu'elle venait de remporter une bataille, mais que pouvait représenter cette victoire, si ce n'est une gloire éphémère ? Oui, le roi m'avait obligée à lui parler. Mais le roi est vieux, il a des crises d'apoplexie. Il ne vivra peut-être plus très longtemps, et le triomphe de la du Barry ne vaut donc pas grand-chose — tout comme elle. Je n'avais pas bougé et je regardais, fascinée, la lumière de son regard s'éteindre peu à peu.

Un silence surnaturel est alors descendu sur la salle. Tu vois, cher journal, à mesure que les flammes de l'orgueil satisfait baissaient dans les yeux de celle qui avait vaincu, il me semblait devenir moi-même plus lumineuse. Je n'avais pas besoin de bijoux. Une sotte petite fille a peut-être besoin de ces hochets brillants, mais je ne suis plus une petite fille. J'ai beaucoup appris, ces deux dernières années — et pas seulement des pas de danse et les règles des jeux de cartes. Te rappelles-tu, cher journal, ma résolution de ne pas laisser maman emplir mon esprit de ses propres idées, de ne pas la laisser « envahir ma nature » ? Je ne savais pas alors qui j'étais en réalité. Maintenant, je le sais. Et je n'ai pas eu besoin de couronne, quand j'ai fait face à la du Barry, car mon être lui-même resplendissait. La favorite l'a compris. Elle a compris qu'elle n'avait remporté qu'une escarmouche et que moi, Marie-Antoinette, j'allais devenir la reine de ce siècle.

POUR ALLER PLUS LOIN

QUE SONT-ILS DEVENUS ?

Si Marie-Antoinette est devenue l'une des plus éblouissantes reines de France, elle a aussi connu l'un des destins les plus tragiques.

Quatre ans après l'arrivée de la jeune dauphine à la cour de Versailles, le 10 mai 1774, le roi Louis XV mourut. Marie-Antoinette se trouvait seule dans ses appartements quand elle entendit crier : « Le roi est mort ! Vive le roi ! » Le souverain était désormais son mari, Louis-Auguste, devenu Louis XVI.

Le peuple se réjouissait de voir accéder au trône ce nouveau roi avec sa belle et jeune épouse pleine de vie. Elle, bien sûr, était ravie de voir son destin ainsi accompli. Dans une lettre à sa mère, l'impératrice Marie-Thérèse, elle écrivit : *Même si Dieu avait décrété que je naîtrais pour occuper un jour le rang que j'occupe aujourd'hui, je ne peux que m'émerveiller de ce don de la Providence grâce auquel, moi, la plus jeune de vos enfants, j'ai été choisie pour devenir reine d'un des meilleurs royaumes d'Europe.*

Pendant plusieurs années, Marie-Antoinette et Louis-Auguste n'eurent pas de descendance. Mais, dans la nuit du 8 décembre 1778, plus de cent cinquante personnes s'entassaient dans la chambre à coucher de Marie-Antoinette pour assister à la naissance de son premier enfant, une fille, la princesse Marie-Thérèse, d'après le nom de sa grand-mère, l'impératrice. Les spectateurs se comportèrent alors si mal que l'« affreuse étiquette », comme l'appelait Mme Campan, qui régissait l'aspect public des naissances, fut abolie peu après. La naissance du deuxième enfant se passa beaucoup plus paisiblement. Seule une poignée de personnes salua la venue au monde du nouveau dauphin, l'enfant dont tout le monde pensait qu'il serait le futur roi de France.

Cet espoir ne devait jamais se réaliser. Les prémices de l'histoire tragique de Marie-Antoinette et de Louis-Auguste remontent bien avant la naissance de leurs quatre enfants. Si Marie-Antoinette était une bonne et tendre mère, elle ne connaissait que mal l'art de gouverner, tout comme son mari. Elle adorait les fêtes, les objets raffinés fabriqués par les meilleurs artisans et la magnificence du travail des modistes. Très vite, on la surnomma Madame Déficit à cause des énormes sommes d'argent qu'elle dépensait. Elle devint une joueuse invétérée. Pendant ce temps, les critiques contre les privilèges de la noblesse, la lourdeur et l'injustice des impôts se multipliaient. La France connaissait une grave crise financière, mais Marie-Antoinette et son mari, isolés dans leur prodigue cour de Versailles, ne savaient pas faire face à ces difficultés.

Le mécontentement ne cessait de grandir et les courtisans ne voulaient rien changer à leurs habitudes. Les dépenses ayant pris des proportions désastreuses, le roi décida de convoquer des états généraux le 5 mai 1789 pour créer de nouveaux impôts. Mais l'assemblée exprima le désir de changement de la population, dénonça les inégalités sociales et exigea des réformes profondes : ce fut le début de la Révolution française. Le roi, Marie-Antoinette et leurs enfants furent conduits au palais des Tuileries, à Paris : Versailles n'était plus la capitale de la France. Le roi dut partager son pouvoir avec l'Assemblée élue représentant la nation. C'était la fin de la monarchie absolue de droit divin patiemment construite par ses ancêtres. Ni Louis XVI ni Marie-Antoinette n'étaient prêts à accepter un tel bouleversement. En 1791, ils tentèrent de s'enfuir, mais furent repris à Varennes. En 1792, les Autrichiens et les Prussiens envahirent la France dans une tentative d'écrasement de la Révolution et de restauration du couple royal, mais, vaincus à Valmy, ils durent battre en retraite.

En août 1792, les chefs de la Révolution déclarèrent que Marie-Antoinette et Louis-Auguste avaient trahi la nation en appelant à leur secours des armées étrangères. La République fut proclamée le 21 septembre. Les événements conduisant à la mort du couple royal se précipitèrent. En décembre, Louis-Auguste fut jugé pour crimes contre l'État et, déclaré coupable, fut publiquement décapité le 21 janvier 1793. Les exécuteurs utilisaient alors une nouvelle machine baptisée « guillotine » d'après le nom de son inventeur, Joseph-Ignace Guillotin, médecin parisien. La guillotine comportait une lourde lame qui tombait sur le cou de la victime et lui tranchait la tête.

Plusieurs mois plus tard, le 16 octobre au matin, une femme usée, décharnée, quittait la Conciergerie. C'était la prisonnière 280, que les révolutionnaires avaient surnommée la Veuve Capet, et mieux connue sous le nom de Marie-Antoinette, ou sous celui d'Antonia. Elle monta dans une charrette utilisée pour les criminels et fut conduite, sous les huées de la foule, à l'échafaud. Marie-Antoinette montra beaucoup de calme. Quelques minutes plus tard, la lame tomba.

Marie-Antoinette et Louis-Auguste eurent quatre enfants. Sophie Hélène mourut en bas âge. Leur fils aîné, Louis-Joseph, le dauphin, était un enfant souffreteux qui succomba à la tuberculose quatre ans avant l'exécution de ses parents. Marie-Thérèse et Louis-Charles partagèrent la cellule de leur mère jusqu'à l'exécution de Louis XVI. À la mort de Marie-Antoinette, Marie-Thérèse fut remise aux Autrichiens en échange de prisonniers de guerre français. Elle épousa son cousin, le duc d'Angoulême. Louis-Charles, qui aurait régné sous le nom de Louis XVII, n'avait alors que 8 ans. Il mourut deux ans plus tard à la prison du Temple, dans la solitude et l'abandon.

UN HISTORIEN RACONTE
par Thierry Aprile

Il n'est jamais facile de quitter l'enfance pour devenir adulte, d'abandonner les jeux, l'insouciance, pour apprendre un métier. Ce fut encore plus difficile pour Maria Antonia Josepha Johanna, quinzième enfant de Marie-Thérèse d'Autriche, impératrice du Saint Empire romain germanique.

La vie de château

Au XVIIIe siècle, les dynasties régnantes ont voulu témoigner de leur puissance en édifiant de somptueux palais.

La cour de France réside à Versailles, dans un château dont la construction a mobilisé des milliers d'ouvriers pendant cinquante ans, entouré de jardins dessinés par Le Nôtre et agrémenté de fontaines et de jeux d'eau alimentés par un système compliqué de captage et de retenues. Dans le parc s'élèvent des résidences plus petites : le Grand Trianon et le Petit Trianon.

La cour d'Autriche prend ses quartiers d'hiver dans le palais de la Hofburg et s'installe l'été au château de Schönbrunn, très inspiré de Versailles. Autour du palais, des fontaines et des jardins qui abritent une ménagerie, une roseraie et une résidence intime, la Gloriette.

Lorsque la famille royale voyage, l'interminable cortège des carrosses fait halte dans d'autres châteaux – Compiègne ou La Muette en France.

Pour entourer les souverains du luxe le plus raffiné, les meilleurs artisans sont mis à contribution. Ébénistes, tapissiers, modistes, parfumeurs, cuisiniers, pâtissiers... Certains sont devenus célèbres, comme la fameuse modiste Rose Bertin et le coiffeur Larseneur, qui crée pour les réceptions des coiffures si extravagantes que ses clientes se voient contraintes de dormir sur un billot de bois afin de ne pas déranger l'échafaudage des boucles et des rubans ! D'autres façonnent des poupées ou des jouets, comme le fameux théâtre mécanique.

La vie ne tient qu'à un fil

Les enfants royaux ne sont pas plus épargnés par la maladie que le reste de la population. Beaucoup de nourrissons n'atteignent pas leur premier anniversaire, et nombreux sont les enfants qui meurent avant l'adolescence. La « petite vérole », qui laisse défiguré, fait des ravages. Les médecins ne connaissent guère l'origine des maladies et ne peuvent donc prescrire de remèdes efficaces : ils pratiquent surtout la saignée. Les apothicaires (que nous appelons aujourd'hui pharmaciens) confectionnent des cataplasmes, les chirurgiens opèrent sans anesthésie et le lait d'ânesse est considéré comme un médicament. Il y a bien quelques innovations, comme l'inoculation (en attendant la vaccination inventée par l'Anglais Jenner) et une ébauche de réflexion sur l'hygiène de vie nécessaire pour conserver la santé. Marie-Thérèse, à 54 ans, est considérée comme très âgée, et le roi Louis XV, à 60 ans, a toutes les apparences d'un vieillard : il succombera à la petite vérole quatre ans plus tard.

Une éducation austère

Les enfants royaux ont bien peu de temps pour jouer. Marie-Antoinette profite de quelques trop rares occasions pour se promener à traîneau dans la neige, monter à cheval ou improviser de petites pièces de théâtre avec ses frères et sœurs à Noël...

L'éducation est dispensée par des gouvernantes qui apprennent très tôt aux filles à ne pas montrer leur corps, à brider toute spontanéité, à bannir tout imprévu, tout plaisir. Si les enfants ne voient que très rarement leurs parents, ils sont en permanence entourés de dames de compagnie et de femmes de chambre qui rendent compte à la reine ou au roi de leurs moindres faits et gestes.

Ce cadre luxueux ressemble fort à une prison dorée. Ainsi, les sœurs de Louis XV, Adélaïde, Victoire et Sophie restent-elles confinées dans leurs appartements, ce qui les conduit à inventer des passe-temps un peu fantasques, comme la cornemuse ! Pour tromper l'ennui, on joue beaucoup à des jeux de cartes et d'argent, au risque de créer une atmosphère de soupçon et de tricherie... Pour les filles qui, contrairement à leurs frères, ne vont que très rarement à la chasse, les activités sont réduites à la musique (harpe ou clavecin), à de sages promenades dans les jardins et à la conversation, occasion de faire des vers ou des « saillies drolatiques » (jeux de mots) dont la mode se répand à la cour de Versailles. Les bals, les sorties en ville, à l'opéra ou au concert sont rares.

Cette vie étriquée est propice à la médisance et aux intrigues. L'isolement, presque total, empêche les membres de la famille royale de prendre conscience des réalités du monde extérieur, si ce n'est par la fréquentation des domestiques, des gardes ou des « regrattiers » qui collectent dans les châteaux habits usagés, bouts de chandelles, reliefs des festins... pour les revendre en ville.

Une vie réglée par l'étiquette

À la cour de Versailles – près de 3 000 personnes dans le château même et ses dépendances immédiates – chaque moment de la journée, chaque mouvement répond aux exigences de l'étiquette, mécanique extrêmement rigoureuse fondée sur le respect du protocole, de la tradition, des règles de la bienséance et l'obsession de « tenir son rang ».

L'étiquette régit le temps (la succession des réceptions, conseils et fêtes), l'espace (l'accès aux différents lieux du château est affaire de privilèges distribués avec parcimonie) et surtout les relations entre les individus en fonction de leur rang.

La famille royale n'a donc aucune vie privée puisqu'elle est toujours en représentation, y compris dans ses gestes les plus intimes comme le lever, le coucher – et même les accouchements des reines !

Dès leur plus jeune âge, les princes et les princesses sont conscients d'appartenir à une « maison », terme qui désigne à la fois le lieu de résidence et la famille. Ils sont destinés à prendre place dans la longue galerie de tableaux représentant leurs ancêtres.

Il est pourtant des principes qui prennent le pas sur ceux de l'étiquette, ceux de la religion, que les souverains entendent respecter et faire respecter. Chaque château comprend au moins une chapelle où l'on se rend pour prier durant de longues heures, se confesser et faire pénitence, assister à la messe lors des nombreuses fêtes religieuses. Il est indispensable de comprendre le latin que parlent les hommes d'Église. C'est enfin à l'Église que se consacrent beaucoup de princesses et de princes qui ne se marient pas : une sœur aînée de Marie-Antoinette devient abbesse, et son frère cadet archevêque de Cologne.

Deux mondes différents

Les premières années de la vie de Maria Antonia Josepha Johanna, la future Marie-Antoinette, permettent de comparer les cours de Versailles et de Vienne. Au palais de la Hofburg à Vienne, la simplicité, l'économie, la proximité avec la nature, la piété et le respect de la religion... À Versailles, la complexité, la sophistication, un gaspillage éhonté, le manque d'hygiène, la tricherie et la corruption, l'artifice des parfums et des mouches, ces grains de beauté factices disposés sur des visages outrageusement poudrés... un roi vieillissant qui se montre avec sa maîtresse, Mme du Barry, femme d'origine modeste et de trente ans sa cadette.

C'est peut-être ce contraste qu'a ressenti la jeune Marie-Antoinette en quittant son cadre familier. Mais Versailles est à cette époque la capitale de l'Europe, l'arbitre du bon goût : les courtisans s'y comptent par centaines, et le château ouvert à tous est, selon la volonté du ministre Colbert, une « exposition permanente des arts et des métiers français ». La cour de Vienne, par comparaison, apparaît presque provinciale, confinée dans une austérité un peu étroite. La jeune reine s'est d'ailleurs très vite adaptée à l'atmosphère de Versailles.

Le jeu des alliances

Au XVIIIe siècle, les relations entre les grandes puissances européennes se confondent avec celles des dynasties régnantes.

Le mariage entre les héritiers des couronnes royales est le moyen le plus sûr de nouer des alliances. Le destin des princesses royales est donc tout tracé : elles seront vieilles filles ou religieuses si elles ne deviennent pas reines dans une autre cour européenne.

Le XVIIe siècle a été marqué par la formidable lutte que se sont livrée les Bourbons et les Habsbourg. Longtemps, ils se sont disputé le contrôle du Saint Empire, un conglomérat d'États de culture allemande situés au centre du continent européen. Les traités de Westphalie, en 1648, ont rétabli un certain équilibre entre les deux protagonistes.

En 1769, lorsque commence le journal de Marie-Antoinette, Louis XV, qui a succédé à son arrière-grand-père Louis XIV en 1715, règne sur la France. L'impératrice Marie-Thérèse gouverne l'Autriche depuis la mort de son mari en 1765, tout en associant progressivement son fils aîné Joseph au pouvoir. Le fragile équilibre européen a été profondément bouleversé par les volontés d'expansion de nouvelles puissances, la Prusse et la Russie. La France s'est d'abord retrouvée opposée à l'Autriche et la Russie à propos de la Pologne en 1733, puis s'est alliée à la Prusse de Frédéric II, qui parvient à arracher la Silésie à l'Autriche en 1748. Mais en 1756, cette opposition historique a pris fin par un coup de théâtre diplomatique : Louis XV s'allie à l'Autriche et à la Russie contre la Prusse et l'Angleterre. Ce renversement d'alliances a profité à l'Autriche, qui conserve son autorité sur l'empire que la Prusse lui contestait. En revanche, lorsque la guerre de Sept Ans s'achève par le traité de Paris en 1763, la France a beaucoup perdu, notamment son empire colonial d'Amérique et d'Asie, qu'elle doit laisser à l'Angleterre. L'objectif de Marie-Thérèse est alors de fortifier cette alliance en mariant sa fille Marie-Antoinette au dauphin Louis-Auguste, héritier du royaume de France. Mais l'alliance avec l'Autriche, qui a affaibli le royaume, est très critiquée en France.

Apprendre le métier de reine

Le mariage de Marie-Antoinette a donc été négocié comme une affaire d'État, dont dépend la paix en Europe. Cette négociation interminable (elle débute en 1764) et difficile porte sur tous les détails du mariage, gagé par échange de bijoux somptueux, et célébré à Versailles le 17 mai 1770. Les jeunes époux ont à peine 15 ans. Pour Marie-Antoinette, la cérémonie est précédée par la réception des délégations officielles, les actes de renonciation au trône d'Autriche le 17 avril, le mariage par procuration le 19 avril et le voyage vers la France dans un cortège nuptial de 48 carrosses, escorté par 100 gardes à cheval.

Deux ans plus tôt, en 1768, Louis XV a envoyé à Vienne un précepteur français, l'abbé de Vermond, chargé d'enseigner à la jeune fille de 13 ans l'histoire de France et son difficile métier de reine. Il lui faudra désormais déguiser ses émotions, faire acte d'autorité et exceller dans l'art de la conversation. Cette formation accélérée vient compléter ses autres apprentissages : l'écriture, le dessin, la peinture, la musique, la danse, et enfin l'équitation, qui oblige au maintien et au contrôle de soi et de sa monture. Elle doit aussi apprendre à se mouvoir dans des robes peu pratiques et savoir se comporter avec majesté en toutes circonstances.

La future mariée voit son sort réglé par les ambassadeurs et les diplomates, le duc de Choiseul, le prince Kaunitz, le comte Mercy. Ils veulent savoir si elle est en bonne santé : c'est-à-dire capable de remplir sa fonction principale qui est d'assurer la continuité de la lignée en mettant au monde de nombreux enfants. Aucune place n'est laissée aux sentiments : Antonia doit quitter son entourage familier, se dépouiller de ses habits, de ses bijoux et autres possessions personnelles pour entrer en France – il lui faut même changer de nom ! Par la suite, elle sera constamment espionnée : remplit-elle bien son rôle ? Œuvre-t-elle pour les intérêts de la maison d'Autriche à Versailles ? Chacune de ses actions est rapportée à Marie-Thérèse.

Changer les esprits

Pourtant, le XVIIIe siècle est celui des Lumières, un mouvement qui se propose de libérer les hommes du poids de la tradition et des convenances. Les futurs souverains expriment le besoin de se réserver des moments d'intimité. Pour la même raison, le roi Louis XV avait fait construire à Versailles des appartements privés, accessibles par des escaliers dérobés, et des résidences de taille plus modeste : le Grand Trianon, puis le Petit Trianon, qui sera le refuge favori de Marie-Antoinette. Les jeunes époux osent assouvir des envies originales. Ils ont la volonté de se libérer du carcan des convenances et d'échapper à l'influence de leurs mentors : pour Louis, le duc de La Vauguyon, qui a communiqué à son élève son aversion pour l'alliance avec l'Autriche, et, pour Marie-Antoinette, la sévère comtesse de Noailles. Ils s'entourent d'animaux domestiques et cherchent à nouer des liens d'amitié avec des confidentes sûres, Mme Campan ou la comtesse de Grammont.

Un destin

Le destin tragique du couple et de leur héritier, le jeune Louis XVII, oblige à relire leur histoire à la lumière des faits que nous connaissons. Dans ce livre, Antonia, par exemple, fait le rêve prémonitoire d'une poupée qui perd sa tête... L'auteur montre que ces deux adolescents étaient peu préparés à leur fonction et désiraient avant tout une vie paisible. Louis offre l'image d'un homme timide, gauche, introverti ; Marie-Antoinette peut sembler superficielle et frivole, uniquement préoccupée de fêtes et de plaisirs. Mais l'histoire est aujourd'hui beaucoup moins sévère, ou plus indulgente, comme on voudra. Louis XVI était bien moins faible qu'on ne l'a dit, et mieux éduqué qu'on ne l'a imaginé. Quant à Marie-Antoinette, elle était plus engagée dans les luttes politiques qu'on ne l'a prétendu. Les intrigues de la cour, si puériles en apparence, comme la lutte de préséance entre la jeune dauphine et la maîtresse du roi, reflètent en réalité l'affrontement entre les partisans et les adversaires de l'alliance avec l'Autriche.

Quoi qu'il en soit, le récit met en scène deux jeunes gens à qui l'on n'a pas laissé l'occasion de développer leur personnalité, parce que condamnés par le privilège de leur naissance à endosser le rôle de souverain…

Portrait de Marie-Antoinette à l'âge de 13 ans,
d'après celui réalisé à Vienne par Joseph Ducreux.

Le dauphin, futur Louis XVI.

LES HABSBOURG

FRANÇOIS IER 1708-1765 — MARIE-THÉRÈSE 1717-1780

JOSEPH II 1741-1790

LÉOPOLD II 1747-1792

MARIE-ANTOINETTE 1755-1793

+ 13 AUTRES ENFANTS :
MARIE-ÉLISABETH (1737-1740)
MARIE-ANNE (1738-1789)
MARIE-CAROLINE (1740-1741)
MARIE-CHRISTINE (1742-1798)
MARIE-ÉLISABETH (1743-1808)
CHARLES (1745-1761)
MARIE-AMÉLIE (1746-1804)
MARIE-CAROLINE (1748-1748)
MARIE-JEANNE (1750-1762)
MARIE-JOSÈPHE (1751-1767)
MARIE-CAROLINE (1752-1814)
FERDINAND (1754-1806)
MAXIMILIEN (1756-1801)

LES BOURBONS

LOUIS XV 1710-1774 — MARIE LECZINSKA 1703-1768

LOUIS LE DAUPHIN 1729-1765

LOUIS XVI 1754-1793

LOUIS XVIII 1755-1824

CHARLES X 1757-1836

MARIE-ANTOINETTE — LOUIS XVI

MARIE-THÉRÈSE 1778-1851

LOUIS-JOSEPH 1781-1789

LOUIS XVII 1785-1795

SOPHIE HÉLÈNE 1786-1787

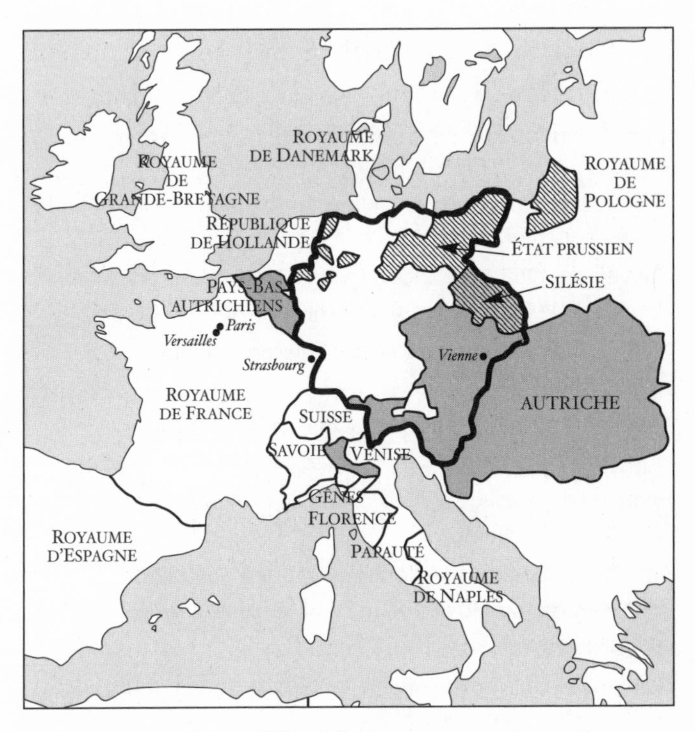

L'EUROPE EN 1770

Limites du Saint Empire

QUELQUES DATES

1723 : à sa majorité, Louis XV exerce seul le pouvoir assuré depuis 1715 par le régent Philippe d'Orléans.

23 août 1754 : naissance de Louis-Auguste, petit-fils de Louis XV, qui devient l'héritier du trône à la mort de son père en 1765.

2 novembre 1755 : naissance de Maria Antonia Josepha Joanna, 15e enfant de Marie-Thérèse d'Autriche.

1756 : la France, renversant ses alliances précédentes, s'allie à l'Autriche.

1763 : le traité de Paris qui clôt la guerre de Sept Ans est plutôt favorable à l'Autriche, mais désastreux pour la France.

16 mai 1770 : mariage à Versailles de Louis-Auguste et de Marie-Antoinette.

5 mai 1789 : ouverture des états généraux à Versailles. Fin du pouvoir absolu du roi, qui doit le partager avec une Assemblée élue.

20 juin 1791 : le roi et sa famille tentent de s'enfuir à l'étranger, loin de la France en révolution.

21 septembre 1792 : la république est proclamée.

21 janvier 1793 : le roi Louis XVI, condamné à mort, est guillotiné.

16 octobre 1793 : Marie-Antoinette est guillotinée à son tour.

DES LIVRES ET DES FILMS

À LIRE
Marie-Antoinette, la dernière reine,
par Évelyne Lever, Découvertes Gallimard

Versailles, château de la France, orgueil des rois,
par Claire Constans, Découvertes Gallimard

À VOIR
Ridicule, de Patrice Leconte,
avec Charles Berling, Jean Rochefort, Fanny Ardant,
Judith Godrèche, Bernard Giraudeau

L'AUTEUR

Kathryn Lasky a toujours adoré l'histoire. Elle explique qu'elle se passionne en particulier pour la vie des enfants qui se sont retrouvés dans une situation historique exceptionnelle à cause de leurs parents.

« Marie-Antoinette était si jolie, et, à bien des égards, si impuissante ! Alors que son destin paraissait tellement prometteur, tout s'est terminé en un véritable désastre. Elle incarne pour moi ce qu'il y a de meilleur et de pire dans le fait d'être une princesse. »

L'auteur a fait des recherches approfondies sur la vie de Marie-Antoinette. Ce qu'elle a écrit se fonde sur des faits réels et la plupart des personnages mentionnés dans le journal ont existé, à quelques exceptions près, comme le maître d'équitation, Herr Francke et le valet Hans. Mme du Barry a bien sûr existé, et Marie-Antoinette a toujours refusé de la reconnaître. Et c'est, en réalité, le Ier janvier 1722 que Marie-Antoinette s'est adressée à elle pour la première fois. Dans l'intérêt de la narration de ce journal fictif, Kathryn Lasky a avancé d'un an la date de cet événement.

DANS LA MÊME COLLECTION

Mon Histoire

PENDANT LA GUERRE DE CENT ANS

JOURNAL DE JEANNE LETOURNEUR, 1418

Tant qu'il me sera possible, j'écrirai tous les jours jusqu'à ce que cette maudite guerre finisse. S'il m'arrivait malheur, j'aimerais que mes parents retrouvent ce souvenir de moi.

L'ANNÉE DE LA GRANDE PESTE

JOURNAL D'ALICE PAYNTON, 1665-1666

Tante Nell est revenue toute pâle du marché. Elle a entendu deux hommes discuter : la semaine dernière, sept cents personnes sont mortes de la maladie. La peste s'est bel et bien installée à Londres.

S.O.S. TITANIC

JOURNAL DE JULIA FACCHINI, 1912

Le capitaine a posté des vigies à l'avant, avec mission de guetter les glaces à la dérive, ou le moindre signe du Titanic. *Comment imaginer qu'à quelques milles d'ici un navire aussi énorme soit en perdition ?*

CRÉDITS PHOTOGRAPHIQUES

Marie-Antoinette, archiduchesse d'Autriche, future dauphine de France, huile sur toile, J.B. Charpentier le Vieux (1728-1806), d'après J. Ducreux (1735-1802), châteaux de Versailles et Trianon, © RMN/Arnaudet

Louis Auguste de France, duc de Berry, dauphin de France (futur roi Louis XVI), huile sur toile, M. Van Loo (1701-1771), châteaux de Versailles et Trianon, © RMN/Arnaudet

Mise en pages : Karine Benoit
Cartographie : Aubin Leray

Loi n° 49-956 du 16 juillet 1949
sur les publications destinées à la jeunesse

N° d'édition : 152618
Premier Dépôt légal : avril 2005
ISBN : 978-2-07-051156-3
Dépôt légal : mai 2007

Imprimé en Italie par LegoPrint